Vive
El Caminito

UNA GUÍA PRÁCTICA PARA
Vivir el Caminito de la Infancia Espiritual

Escrito por
Susan Brinkmann, OCDS

Traducido por
Susana Marshall OCDS

CATHOLIC LIFE INSTITUTE

P R E S S
P.O. Box 1173
Pottstown, PA 19464

"No, yo no creo que sea una gran santa;

Creo que soy una santa muy pequeña;

*Pero creo que Dios se ha complacido
en darme cosas*

*Las cuales me harán bien a mí
y a los demás."*

Sta. Teresita de Lisieux

IMPRIMATUR:

Arzobispo Charles J. Chaput, OFM Cap.

No. 00012, 12 de Abril de 2019

Prensa del Instituto de Vida Católica
PO Box 1173
Pottstown, PA 19464
www.catholiclifeinstitute.org

Diseño de Portada por IGD Graphic Design,
www.image-gd.com

Dseño de interiores por Elizabeth Racine,
www.ElizabethRacine.com

Vive El Caminito / Susan Brinkmann. – 1ra ed.
ISBN-13: 978-1-7336724-6-7
Derechos de Autor © 2017 por **Nombre del Autor**

Oración a Sta. Teresita como Reina de los Muy Pequeños

(Reine des Tout-Petits)

St. Teresita, Reina de los Muy Pequeños, gracias por traerme a este momento en mi vida. Soy una alma pequeña, quien nunca pensó que podría aspirar a la santidad hasta que tú me enseñaste El Caminito.

Por favor quédate a mi lado de una manera especial mientras reflexiono sobre tu sabiduría.

Ayúdame, como nunca antes a estar abierta a tus enseñanzas para que pueda aprender a amar mi pequeñez, y estar llena de confianza en la misericordia de Dios, también ayúdame a abandonar en Él mi vida como lo hiciste tú cuando viviste sobre la tierra.

Abrázame como a una de tus pequeñas, forma en mí El Caminito de la Vida Espiritual, y permíteme compartir en la misión de hacer que Dios sea amado en este mundo.

Pido todo esto en el Santísimo Nombre de Jesús, y a través de la intercesión de la Stma. Virgen del Carmen.

Amén.

ÍNDICE

Pequeña Biografía de Sta. Teresita de Lisieux 1

LECCIÓN UNO (*Visión General*) 7

LECCIÓN DOS (*Humildad*) 19

LECCIÓN TRES (*Confianza*) 39

LECCIÓN CUATRO (*Abandono*) 59

Pequeña Biografía de Sta. Teresita de Lisieux

Marie-Francoise Therese Martin nació el 2 de Enero de 1873 en Alencon, Francia. La más pequeña de cinco niñas que nació de los Martins, era rubia, de ojos azules, precoz, animada, muy sensible, capaz de estallidos violentos de temperamento, y necia.

Y porque fue la favorita de su padre, quien se refería a ella como su "pequeña reina" también fue muy consentida.

Al morir su madre cuando tenía sólo 4 años, le comienza un período muy oscuro en su vida.

En su diario, *Historia de un Alma,* comenta Sta. Teresita que al morir su madre no lloró mucho, pero en los próximos 10 años de su vida no haría casi nada – de la edad de 4 años a los 14 – a los cuales se refiere ella en su diario como "los años más dolorosos" de su vida en la tierra.

Como ella escribiría sobre sí misma: "...(M) i disposición de felicidad cambió completamente después de la muerte de mi madre. Yo, una vez llena de vida, me volví tímida, ausente, y sensible en un grado excesivo. Una mirada era suficiente para reducirme a las lágrimas, y la única forma de contentarme era la de estar completamente sola. No podía soportar la compañía de extraños y encontraba mi alegría solamente en la intimidad de la familia."[1]

"Qué dulce fue ese primer beso de Jesús..." ella escribió. "Teresita se había desvanecido como una gota de agua, perdida en la inmensidad del océano. Sólo quedaba Jesús."[2]

Físicamente, Teresita nunca estuvo bien. En esos diez años se quejaba de molestias en el estómago y dolores de cabeza. Siendo tan sensitiva, se quedó angustiada también en ese momento por las vocaciones de sus hermanas mayores Marie and Pauline, quienes se convirtieron en religiosas Carmelitas. A su parecer infantil, ellas la abandonaban, tal y como su madre la había dejado y esto fue demasiado para ella.

Todo esto llegó a un punto crítico en 1883 cuando mientras se quedaba con sus primas, Sta. Teresita empezó a sufrir constantes dolores de cabeza que gradualmente empeorarían hasta llegar al punto de tener alucinaciones, ataques de fiebre, delirios y temblores del cuerpo. Los expertos habían diagnosticado su enfermedad desde una crisis nerviosa hasta una infección del riñón.

´ Sta. Teresita culpó al diablo. Fuera lo que haya sido, los médicos de su tiempo no pudieron dar un diagnóstico exacto ni tratar su condición.

---

1 Sta. Teresita de Lisieux, *Historia de una Alma, traducida por John Clarke, OCD (Washington DC: Publicaciones ICS, 1972) página 34*

2 Historia de una Alma, página 77

"Estaba totalmente aterrada de todo; mi cama parecía estar rodeada de precipicios espantosos; clavos en la pared del cuarto, tomaban la apariencia de dedos grandes, negros y carbonizados, los cuales me hacían gritar de miedo. Un día mientras Papá me miraba y me sonreía, el sombrero en su mano, de repente, fue transformado en una forma indescriptible y horrible, Papá al verme llena de tanto miedo, salió del cuarto en sollozos."[3]

Nada de lo que hacían los doctores ayudaba. Finalmente, el día 13 de Mayo de 1883, completamente desesperadas, sus hermanas se arrodillaron en frente de la Imagen de la Santísima Virgen – que ahora es conocida como "Nuestra Señora de la Sonrisa" – y le suplicaron por la vida de su hermanita. Al estar rezando, Sta. Teresita se volteó hacia la imagen y pidió ser curada.

De repente, la imagen se convirtió en una resplandeciente hermosura. "Yo nunca había visto algo tan hermoso. Su rostro irradiaba una amabilidad y ternura inexpresable, pero lo que me traspasó hasta el fondo del alma fue la sonrisa deslumbrante de la Stma. Virgen. Entonces, todo el dolor desapareció, dos grandes lágrimas cayeron de mis ojos y fluyeron en silencio sobre mis mejillas, pero eran lágrimas de puro gozo. ... Ah, me dije a mí misma, la Santísima Virgen me ha sonreído. Que feliz soy! ... Pero no le diré a nadie, porque si lo hago mi felicidad desaparecerá."[4]

Sta. Teresita fue curada.

Pero las cosas no permanecieron bien por mucho tiempo. Pronto después de su confirmación, entró en

---

3 Historia de una Alma, nota No. 56, página 63

4 Ibíd, página 66

un periódo de 17 meses en los cuales tenía ataques constantes de escrupulosidad. Vivía con un constante temor de caer en pecado; los pensamientos más aborrecibles y absurdos perturbaban su paz. Lloraba a menudo.

"Mi extrema susceptibilidad me hacía insoportable," escribió ella más tarde. "Si yo le causaba a algún ser querido algún problema, aún siendo involuntario, en lugar de olvidarlo y no llorar lo cual hacía la situación más difícil, lloraba como una Magdalena y después cuando me empezaba a sentía mejor, comenzaba de nuevo a llorar pero esta vez por haber llorado anteriormente."[5]

Luego vino la infame gracia Navideña del 1886 la cual experimentó después de la Misa de Navidad a Media Noche. El Señor la despojó de todos sus escrúpulos y su excesiva sensibilidad, la duda de sí misma, la depresión, la incertidumbre, y lo reemplazó con una nueva calma y una convicción interior.

Ella usó esta gracia como la energía que la ayudaría a sobre pasar la gran batalla que siguió en su vida, la cual fue la de lograr la entrada en la Orden Carmelita a la tierna edad de 15 años.

Con su terquedad típica, ella persiguió este sueño llevando su petición hasta Roma donde de rodillas a los pies del Papa León XIII, y desobedeciendo las órdenes a todos los visitantes de no hablar durante la audiencia, ahí mismo soltó sus deseos de entrar a la Orden Carmelita a la edad de 16 años. El le dijo que obedeciera a sus superiores – los cuales ya estaban considerando la idea pero todavía no habían llegado a una decisión.

---

5 Ibíd, página 97

Su impertinencia dió sus frutos. Sta. Teresita del Niñito Jesús y del Santo Rostro hizo su profesión solemne en el Carmen de Lisieux en la fiesta del cumpleaños de Nuestra Señora, el 8 de Septiembre de 1890.

Durante su tiempo en las Carmelitas, en donde se le unieron tres de sus hermanas, ella experimentó la pérdida de toda consolación en la oración y estuvo todos esos años, en el sentido espiritual, en la aridez del desierto.

La vida en el Carmelo llevaba consigo su parte de problemas tal como el frío, la nueva dieta y las dificultades de la oración que exigía hasta seis horas al día.

Pero fue en la vida en comunidad donde Sta. Teresita desarrollo su Caminito. Porque ella no tenía la tolerancia física y emocional para soportar los duros ayunos y las camisas de pelo, ella hacía lo que podía con lo que tenía.

Por ejemplo, hacía penitencia ignorando a la religiosa que al lavar la ropa en comunidad, le salpicaba el rostro.

Otra religiosa durante la oración haría ruido constante con sus dentaduras mal ajustadas, el cual distraía grandemente a Sta. Teresita y ella para poder concentrarse, en secreto, hacía en su mente un concierto de este ruido y se lo ofrecía a Jesús.

También estaba la religiosa malhumorada la cual no hacía otra cosa que quejarse, no importaba cuanto hiciera Sta. Teresita para tratar de ayudarle.

Sus debilidades personales también le fueron una plaga. Por ejemplo, St. Teresita casi siempre se quedaba dormida durante la oración, lo cual le era muy vergonzoso. Sin embargo, en una de las más bellas expresiones de El Caminito, un día cayó en la cuenta de que el padre y la madre aman a sus hijos por igual mientras duermen o mientras están despiertos, por lo tanto Dios la amaba aunque frecuentemente estuviera dormida durante la hora de oración.

Antes de su muerte el 30 de Septiembre de 1897, resumiría su Caminito de la Infancia Espiritual en este famoso párrafo:

"Infancia Espiritual es el camino de la confianza y del abandono. ...Significa que reconocemos nuestra nada; que esperamos todo del Buen Señor, como un niño espera todo de su padre; significa no preocuparse de nada, no construir fortunas; significa permanecer pequeño, buscando solamente reunir flores, las flores del sacrificio y ofrecerlas al Buen Señor para su complacencia. También simboliza, no atribuir las virtudes que practicamos a nosotros mismos y no creer que somos capaces de lograr algo, pero admitir que ha sido el Buen Señor el que ha puesto ese tesoro en las manos de Su pequeña criatura y que Él puede usarlo cuando Él lo necesite perteneciendo siempre este tesoro sólo a Dios. Finalmente, significa que no debemos desanimarnos por nuestras muchas faltas, porque los niños caen a menudo."[6]

Durante el transcurso de este estudio, vamos a expandirnos en los tres puntos más esenciales de este párrafo, los cuales son elementos fundamentales de la Infancia Espiritual – humildad, confianza, y abandono.

---

6 Clarke, John OCD, Santa Teresita de Lisieux: Sus Últimas Conversaciones (Washington, DC: Publicaciones ICS) 1972, página 138

Una Visión General

Han transcurrido más de 100 años desde la muerte the Santa Teresita del Niñito Jesús y del Santo Rostro, cariñosamente conocida como La Florecita de Lisieux, y aún así su legado ahora es más vigoroso que nunca. Además de su anunciada "lluvia de rosas" que ha derramado innumerables milagros en todo el mundo desde su muerte en 1897, su doctrina espiritual, conocida como El Caminito de la Infancia Espiritual ha inspirado a grandes santos de los tiempos modernos – tales como San Padre Pío de Pietrelcina, San Juan Pablo II, y Santa Teresa de Calcuta. Pero la verdadera maravilla de El Caminito, es como ha cautivado a la gente común, dándoles una camino simple a seguir que los llevará al mismo alto nivel de santidad que San Francisco de Asís o Santa Catarina de Siena.

Sin embargo, es muy importante entender desde el principio que sólo porque su doctrina espiritual es llamada El Caminito de la Infancia Espiritual, no por esto significa que sea una enseñanza inferior a la de los grandes místicos de la Iglesia. De hecho, ella fue estudiante de San Juan de la Cruz Carmelita y Doctor de la Iglesia quien vivió en España durante el Siglo 16 y que nos ha dejado, algunas de las más profundas enseñanzas sobre el misticismo Católico jamás registradas.

San Juan, como Santa Teresita también enseñó de la primacía del amor en la relación con Dios y de la necesidad de deshacerse de todo lo que no le pertenece a Él, y de la obligación que tenemos de obtener el tipo de confianza fundada en la virtud de la esperanza, la cual hace posible obtener una fe ciega. Pero la teología de San Juan es muy profunda y su lenguaje austero. Pero Sta. Teresita se acerca a los mismos temas desde un punto de vista completamente diferente – el de "los más pequeños"

"Ella es una joven maestra que se sienta cerca de nosotros para hablarnos de sus experiencias. Es una pequeña doctora con conocimientos tan simples que parecen pobres." escribe P. Marie-Eugene, OCD.[7]

Sus conocimientos son cualquier cosa menos pobres!

Ni son infantiles, lo cual muchos creen erróneamente. Más bien el Caminito de la Infancia Espiritual es una actitud de la mente y del corazón.

Cuando se le preguntaba lo que quería decir con las palabras "permanecer como una pequeña criatura ante Dios," ella decía:

"Es reconocer nuestra nada, esperando todo de Dios, como una pequeña criatura espera todo de su padre; es no inquietarse con nada, y no proponerse hacer una fortuna...Ser pequeño, además, es no atribuirnos a nosotros mismos las virtudes que practicamos, ni

---

7 P. Marie-Eugene, OCD, *Yo Soy una Hija de la Iglesia: Una Síntesis Práctica de la Espiritualidad Carmelita, Vol. II* traducida por la Hermana M. Verda CareCSC (Allen, TX: *Clásicos Cristianos,* 1997) página 389.

creernos capaces de practicar la virtud en absoluto. Es, más bien reconocer el hecho de que Dios pone tesoros de virtudes en las manos de Sus pequeñas criaturas para que sean usadas cuando sea necesario, pero permanecen siempre tesoros del buen Dios."[8]

Estas palabras aparentemente simples, contienen las más profundas verdades de la vida espiritual – la necesidad de ser humildes ante Dios, ser completamente pobres de espíritu y depender de Él para todo con el tipo de confianza que sólo se encuentra en una fe bien cimentada en la esperanza.

Jesús mismo expresó estas verdades e indicó nuestra necesidad de vivir en infancia espiritual al decir a Nicodemus que debía renacer en el Espíritu.

"Amén, amén les digo yo, que nadie puede entrar en el Reino de Dios sin haber nacido de agua y de Espíritu."[9]

Uno no puede renacer en el Espíritu a menos que sea pobre de espíritu, que confíe, y que dependa de Dios en todas las cosas.

Como nos enseñan los maestros espirituales, "... Haber renacido no es otra cosa que progresivamente convertirse en un niño. Mientras que en la generación del orden material, realizada en el vientre de la madre, llega a su perfección en una separación progresiva del niño hasta que éste puede vivir su vida perfecta e independientemente, un desarrollo espiritual se produce recíprocamente por la absorción progresiva en unidad."[10]

---

8 *Sta. Teresita de Lisieux:* Últimas *Conversaciones,* traducido por Juan Clark, OCD (Washington, DC: *Publicaciones ICS, 1977,* página 138

9 San Juan 3:5

10 *Yo Soy una Hija de la Iglesia,* página 399-400

En otras palabras, en la vida física un hombre se hace más grande, y más fuerte y más autosuficiente a medida que madura. En la vida espiritual, la maduración ocurre al hacerse más pequeño, más débil y más dependiente de Dios.

Este proceso comienza cuando el pecador es iluminado por Dios y se arrepiente de sus modos egoístas y pecaminosos, evita su apego desmedido al mundo material, y se acerca cada vez más a la Verdad hasta que se pierde el mismo en el Dios que lo creo.

"Ese es el significado y el valor de la infancia espiritual."[11]

Pero Sta. Teresita no estaba familiarizada con enseñanzas tan sublimes como éstas cuando El Caminito comenzó a tomar forma en su corazón. En cambio, este proceso nació de su propia experiencia personal con Dios y en cómo ella y su familia vivían su fe en la vida diaria.

Criada en una familia Católica muy devota, ella siente el deseo de llegar a la santidad a una temprana edad. A medida que crecía, así lo hizo este deseo; pero al mismo tiempo, esta pequeña niña un poco mimada y muy consentida se dió cuenta de lo incapaz que era de lograr una meta tan elevada por sí sola. En su mente, el tipo de santidad adquirida por los santos de antaño parecía un objetivo demasiado alto e imposible para la gente ordinaria como ella.

Pero al mismo tiempo, simplemente no se podía imaginar que Dios pusiera un deseo tan grande en su corazón si era algo imposible de lograrse. Claramente éste no era el amoroso Dios-Padre que ella había llegado a conocer. Y porque sabía que no era imposible

11 *Yo Soy una Hija de la Iglesia,* página 400

que uno se añada ninguna importancia por sí mismo, esto significaba que tenía que aceptarse ella misma con todas sus imperfecciones. Entonces, ¿Cómo podría alcanzar la meta que el Buen Señor había puesto sobre su corazón?

Un día mientras meditaba en este misterio, de repente recordó como algunas casas estaban siendo equipadas con un artefacto conocido como un ascensor, que permitía a los ocupantes un manera fácil de llegar a los pisos superiores de la casa sin tener que subir escaleras. Posiblemente había algún tipo de "ascensor" que pudiera ella usar para elevarla a las alturas de la santidad.

Como era su costumbre, acudió a las Sagradas Escrituras y la abrió en el libro de los Proverbios donde dice: "Quien sea un pequeño que venga a mí."[12]

De este pasaje ella asume que para llegar a la santidad, uno debe de convertirse en poco. Más pensamiento sobre esto le revela que era necesario crecer en la pequeñez. Pero porque esta misma pequeñez nos hace incapaces de alcanzar la santidad por nosotros mismos, debemos recurrir a Dios.

Muy bien, ¿Pero qué haría Dios para estos pequeños que vinieron a Él en busca de su ayuda?

Fué entonces cuando al abrir otro verso en la Sagrada Escritura el Señor le responde a través de las palabras de Isaiah. "Mamaréis y en los brazos seréis traídos, y sobre las rodillas seréis mimados." [13]

Fué entonces que reconoció lo que Dios trataba de enseñarle – que sería Dios mismo quien serviría

---

12 Proverbios 9:4
13 Isaías 66:12

como el "ascensor" para almas pequeñas como ella. Si tan sólo ellas estuvieran de acuerdo en llegar a ser pequeñas – lo cual es crecer en humildad y en pobreza espiritual aceptando sus debilidades y aprendiendo a acudir a Él con confianza, Él mismo y en sus propios brazos elevaría estas pequeñas almas a la santidad.

"La Santidad no consiste es ésta o aquella práctica; consiste en una disposición del corazón, la cual siempre nos hace humildes y pequeños en los brazos de Dios, conscientes de nuestra debilidad, pero con valentía confiados en la bondad del Padre,"[14]

En otras palabras, tenemos que ir a Dios por medio de la humildad, confianza, y abandono – el cual es el camino de la infancia espiritual.

Sin embargo, esto no quiere decir que nosotros no tenemos que hacer nada y asumir que Dios lo hará todo por nosotros. Como una vez Sta. Teresita enseñó a una novicia, siempre tenemos que hacer lo más que podamos por nosotros mismos.

"Me recuerdas a una pequeña criatura que está aprendiendo a mantenerse de pie, pero que no sabe cómo caminar todavía. En su deseo de subir la escalera para llegar a su madre, levanta su piecito para subir el primer escalón. Es todo en vano, a cada intento que hace vuelve a caer. Pues bien, sé como esa pequeña criatura. Continua siempre levantando el pie para ascender la escalera de la santidad, y no imagines que puedes dar incluso el primer paso. Lo único que te pide Dios es la buena voluntad. Desde arriba de la escalera Él te mira cariñosamente, y pronto, conmovido por tus infructuosos esfuerzos viene Él mismo en tu ayuda

---

14 *Colección de Poemas de Sta. Teresita de Lisieux,* traducida por Alan Bancroft, (Heredforshire, UK: *Publicación de Gracewing 2001)* página 215

y en sus brazos te carga a Su Reino para nunca más dejarle."[15]

Siempre debemos hacer lo que esté de nuestra parte, pero no sin aceptar el hecho de que el ascenso a la santidad es algo que sólo Dios puede hacer. Nuestra labor es la de trabajar en conjunción con Él, estar abiertos y siempre permanecer confiados en su ayuda. Nunca debemos de estar avergonzados de nuestra pequeñez, y de tener que depender de Él; más bien debemos saber que es esta pequeñez la que atrae a Dios a nosotros.

Ser tan pequeño puede sin duda ser humillante. Teresita experimentó esto en su persona. Aunque fue sobrecogida por la virtud heroica de los mártires de la Iglesia, en una ocasión la pequeña santa de Lisieux cayó enferma sólo por usar una pequeña cruz de hierro tachonada de puntos afilados. Ella creyó que Dios permitió que esto sucediera para enseñarle que las austeridades de los Santos no estaban destinadas para ella – o para las pequeñas almas que caminarían el sendero de la Infancia Espiritual.

Por lo tanto, inicialmente aprendió que incluso las inspiraciones más altas no hacen que uno sea capaz de lograr la santidad. No, esto se obtiene a través del amor genuino y de las buenas obras que este amor inspiró – cualquiera que sea la buena obra de la que seamos capaces – y un constante depender de Dios. No es suficiente, simplemente desear la santidad de los santos. Al igual que ella aprendió cuando usaba la cruz de hierro, nosotros tenemos que poner de nuestra parte aunque esto signifique que nos veremos cara a cara con nuestra propia incompetencia.

---

15 Citado en *Yo Soy una Hija de la Iglesia,* página 406

"Cuántas almas gimen : '¿Yo no tengo suficiente fuerza para llevar a cabo tal acción? ¡Pero que pongan un poco de esfuerzo! El buen Dios nunca niega la gracia que da fuerza para actuar. Después de esto el corazón es reforzado va de victoria en victoria."[16]

La victoria llegó para Teresita en las cosas más pequeñas, así como sentarse derecha en la silla cuando se sentía encorvada; o también así como sonreír aún cuando se sentía triste por dentro; en otros casos al reprimir una mirada de enfado al estar irritada. Ella podía hacer – con un gran amor – estas cosas pequeñitas. Así aprendió a estar contenta con – y aún a amar – su pequeñez.

Al pasar de los años y al Teresita practicar El Caminito cada vez más, cayó en la cuenta que ésta forma de infancia espiritual era un "camino directo y corto – y totalmente nuevo."[17]

El camino es directo porque "ha removido las complicaciones espirituales que actuaban como tantas desviaciones en nuestro avance hacia Dios."[18]

El camino es corto "por ser directo se simplifica la vida espiritual, reduciéndolo especialmente a la humildad y al amor fiado."

El camino es nuevo "en comparación con los sistemas que estaban entonces de moda..."

¡Nuevo sin duda! El modo prevaleciente del catolicismo que se estaba practicando en el siglo XIX en Francia en el momento de su infancia era conocido como Jansenismo.

---

16 *Yo Soy la Hija de la Iglesia,* página 409
17 Ciatado por Francois Jamart, OCD. *Doctrina Espiritual de Sta. Teresita de Lisieux (*Isla Staten, Nueva York: *Casa Alba, 1961)* página 33
18 Ibídem

Así como John F. Russell, O. Carm, STD, escribe en la Sociedad del sitio web de la Pequeña Florecita, "Consecuentemente, Dios pareció ser más como un juez justo, quien estaba castigando a Francia por sus pecados. La atmósfera espiritual pedía reparación, mortificación, y oraciones ofrecidas como una compensación a Dios."[19]

Teresita fue influenciada por esta atmósfera espiritual, pero su propia experiencia con Dios le enseñaba exactamente lo opuesto, que Dios es primeramente Amor y que todos sus demás atributos – particularmente el de la Justicia – eran mitigados por Su misericordia.

"¡Dios es tan bueno y Su misericordia perdura por siempre!' (Salmo 117:1). A mí me parece que si todas las criaturas hubieran recibido las mismas gracias que yo recibí, Dios no sería temido por nadie pero sería amado al punto de la locura; y por medio del *amor*, no por medio del temor, nunca nadie consentiría causarle ningún dolor," escribió ella en la Historia de un Alma.[20]

"...Todas estas perfecciones parece que resplandecen *con amor*, hasta con Su Justicia (y posiblemente ésta más que ninguna otra) me parece que está vestida de *amor*," escribe ella. "Qué gozo tan dulce es pensar que Dios es *Justo*, i.e., que Él tiene en cuenta nuestra debilidad, y que Él está perfectamente consciente de nuestra naturaleza que es tan frágil. ¿Qué debo yo de temer entonces? ¡Ah! ¿No debe el Dios infinitamente justo, que se digna a perdonar las faltas del hijo pródigo con tanta bondad, ser justo también

---

19 Russel, Johm T. "Concepto de la Infancia Espiritual", acceso en http://www.littleflower.org/therese/reflections/st-therese-and-spiritual-childhood/
20 Historia de un Alma, página 180

hacía mí que 'estoy siempre con Él'?[21] [énfasis en el original]

Por lo tanto, El Caminito, que desarrolló a lo largo de sus muy cortos 24 años de vida, tuvo una misión muy específica:

"La de revelar a Dios como el Amor a las almas, ese es el punto central y esencial de la misión de Santa Teresita del Niñito Jesús."[22]

Es muy interesante hacer notar que Sta. Teresita nunca pretendió escribir un libro sobre una nueva doctrina espiritual.

En 1895, aproximadamente dos años antes de su muerte, su hermana mayor, Marie, pidió a la Priora del Carmelo de Lisieux que permitiera a su hermana pequeña escribir memorias de sus infancias y juventud. Teresita obedeció y escribió en un cuaderno los primeros ocho capítulos de lo que llegaría a ser *La Historia de una Alma*. Este proyecto fue completado en el año 1896.

Más tarde, Marie le pide a Teresita que escriba lo que la joven novicia, ya terminalmente enferma de tuberculosis, como se refería a ella "pequeña doctrina." El resultado de esto llegó a ser el Capítulo XI de la misma historia.

En Junio del año 1897, sólo unos meses antes de su muerte, se le pide a Teresita que añada una descripción de su vida religiosa, los cuales llegaron a ser los Capítulos IX y X de la *Historia de una Alma*. Estos dos capítulos fueron escritos con lapicero, pues Teresita estaba demasiado débil para sostener un bolígrafo.

---

21 Ibídem
22 *Yo soy la Hija de la Iglesia,* página 389

Nunca fue la intención de que estos tres manuscritos conocidos por el público. El primero era sólo para su familia, el segundo era exclusivamente para Marie, y la intención del tercero fue para que el Convento lo usara para escribir el obituario de Teresita. Esta última parte fue la única que sería públicamente conocida, e incluso esto sería de una manera limitada.

Sin embargo, rápidamente fue evidente que muchas almas se beneficiarían del libro y Marie le pide permiso a su hermanita para publicarlo. Teresita no tuvo ninguna objeción, por lo tanto las dos revisan la copia final.

Sus ideas generaron sospechas entre sus contemporáneos, muchos de los cuales todavía estaban impregnados de la rigurosidad del Jansenismo, teniendo esto un impacto notable en Teresita. De hecho, ella en una ocasión menciona a sus novicias: "Si las conduzco al error con mi Caminito de Amor, no tengan temor de que les permita seguirlo por algún tiempo. Yo vendré después de mi muerte y las enviaré por otro camino. Pero si no vuelvo, créanme cuando les digo que no tenemos suficiente confianza en el buen Señor quién es muy poderoso y misericordioso. Obtenemos de Él, tanto como esperamos de Él."[23]

Teresita nunca corrigió las enseñanzas que contenían sus escritos. Pero una noche entre el 15 y 16 de Enero de 1910, se aparece a la Madre Priora del Carmelo en Gallipoli y le notifica: "¡Mi Camino es seguro!"

La sospecha sobre Teresita y sus escritos continuó hasta después de su muerte.

---

23 Citado en *La Doctrina Espiritual de Sta. Teresita de Lisieux,* página 20

"¿Qué autoridad tenía esta religiosa quien murió sólo después de unos cuantos años en el monasterio? ¿Se tenían que aceptar sus enseñanzas por encima de aquellas de los maestros de la vida espiritual y los sabios teólogos? Pero hubo otros que al analizar cuidadosamente las palabras de Teresita, reconocen en ellas el eco del Evangelio y la voz de Dios," escribe Padre Francois Jamart, OCD.[24]

Las oposiciones a sus enseñanzas se apagan pronto, sobre todo por la especialmente a raíz de una abundancia de milagros que van desde curaciones inexplicables hasta la conversión de los más duros de corazón.

Por lo tanto, si eres unas de esas almas que están tentadas a preguntar, "¿Qué puede hacer Dios con una alma tan detestable como la mía?" eres la candidata perfecta para vivir El Caminito, cuya autora tenía exactamente la opinión opuesta.

Como pronto aprenderás, entre más débil y más detestable que seas,"más atraerás a Dios"[25] quien con tanta dicha nos concede Su fuerza!

---

24 *La Doctrina espiritual de Sta. Teresita de Lisieux,* página 16

25 Citado en Jamart, Rev. Francois OCD, *La Doctrina Espiritual de Sta. Teresita de Lisieux* (Islas Staten, NY: *Casa Alba*) 1961, página 36

La Humildad

El Caminito de la Infancia Espiritual no es el camino de los orgullosos. Ahí no caben los arrogantes, soberbios, los poderosos. No, El Caminito de los más pequeños, es decir, aquellos que entienden lo que significa ser verdaderamente humilde.

Con su característica simplicidad, Sta. Teresita nos da una explicación sencilla y sin complicaciones de la verdadera humildad.

"Es el reconocer nuestra nada..." [26]

Esto significa que sabemos quien somos – y quien no somos.

¿Suena simple? ¡Claro! Pero sólo porque algo es simple, no lo hace fácil. El reconocer nuestra nada no es algo que a nosotros los humanos nos gusta aceptar. Tenemos la mala costumbre de tratar de pretender ser más grandes y mejores de lo que somos, por una variedad de razones – inseguridad, la necesidad de

---

26 Clarke, John OCD, *Sta. Teresita de Lisieux: Sus* últimas *Conversaciones* (Washington, DC: *Publicaciones ICS)* 1972, página 138

complacer, y de hacernos sentir bien acerca de nosotros mismos, etc.

Pero esta actitud esta completamente opuesta a El Caminito. De hecho siempre tenemos que luchar para ser "más pequeños" en vez de "más grandes."

¿Por lo tanto qué significa exactamente el ser pequeño"?

"Ser pequeño significa el no atribuirse a uno mismo las virtudes que uno posee, y el creerse capaz por sí mismo de cualquier cosa, pero reconocer que Dios pone este tesoro en las manos de Su pequeña criatura para que sea utilizada cuando sea necesario; pero siempre perteneciendo este tesoro sólo a Dios." Teresita nos explica: "Finalmente, ser pequeño significa, no desanimarse por nuestras propias faltas pues los niños pequeños caen a menudo..." [27]

Esta pequeñez, esta humildad, nos pone en el lugar al cual pertenecemos, en nuestra verdadera condición por lo cual Teresita hace a la humildad el cimiento para vivir El Caminito. Ella creía que la humildad es la verdad, y que sólo los humildes pueden verla en todas las cosas. Pero qué es esta verdad tan incomprensible que sólo los verdaderamente humildes pueden ver?

De nuevo, la respuesta es exquisitamente simple – Dios.

Como explica Padre P. Marie Eugene, OCD, donde sea que se encuentre la humildad, ahí está Dios.

"Y dondequiera que esté Dios aquí abajo, Él se viste, por así decirlo, con una prenda que oculta Su

---

27 Ibídem, página 139

Presencia a los orgullosos y que la revela a los sencillos y a los pequeños. Cuando Jesús vino a este mundo, fue como un pequeño niñito envuelto en pañales. Esa fué la señal dada a los pastorcitos: 'Y ésta será una señal para ustedes," dijo el ángel, 'encontrarán a un pequeño infante envuelto en pañales, que yace en un pesebre.'[28] El signo de humildad siempre marca lo divino aquí abajo."[29]

Por eso, como explica Teresita, "entre más abajo estamos, más atraemos a Dios."[30]

Y para ella, no había absolutamente ningún problema si con una condición como ésta se atraía a Dios – no importaba lo vergonzoso que fuera.

"Si soy humilde, tengo derecho, sin ofender al buen Señor, de hacer tonterías hasta la muerte. Mirad a los pequeños. Ellos constantemente rompen cosas, las destrozan, caen y todo el tiempo, a pesar de eso, aman mucho a sus padres. Pues cuando yo caigo en esta forma, como un niño, me hace notar aún mejor mi nada y mi debilidad y me digo a mí misma: "¿Qué será de mí? ¿Qué podría yo lograr si tuviera que confiar en mis propias fuerzas?"[31]

Sólo para aclarar "Es sólo cuando sus hijos ignoran sus constantes lapsos y hacen un hábito de ellos y fallan al no pedir Su perdón que Cristo llora por ellos."[32]

---

28 San Lucas 2:12

29 P. Marie Eugene, OCD, *Quiero Ver a Dios: Una Síntesis práctica de la Espiritualidad Carmelita, Vol. 1 (*Allen, TX: *Clásicos Cristianos)* 1953, página 387

30 Citado en Jamart, Rev. Francois, OCD, *La Doctrina Espiritual de Sta. Teresita de Lisieux (*Staten Island, NY: *Cada Alba)* 1961, página 36

31 *Sus* Últimas *Conversaciones,* página 140

32 Citado en *La Doctrina Espiritual de Sta. Teresita de Lisieux,* página 41

Aquellos que siguen El Caminito deben siempre esforzarse en seguir a Dios, pero cuando nos caemos, usamos estas caídas para profundizar en nuestra humildad. Si seguimos esta simple regla, realmente ganaremos más que como si nunca hubiéramos caído. Esto es porque nuestras faltas nos hacen darnos cuenta de lo débiles que somos, y de la necesidad extrema que tenemos de Dios, y del peligro que corremos al confiar en nosotros mismos. De esta forma nuestras caídas nos mantienen humildes.

Sta. Teresita usa el ejemplo de San Pedro para probar este punto.

"Yo entiendo muy bien porque San Pedro cayó. Pobre Pedro, el siempre confiaba sólo en sí mismo en lugar de confiar en la fuerza de Dios...Yo estoy segura que si San Pedro le hubiera dicho humildemente a Jesús: 'Dame la gracia, te lo suplico, de seguirte aún al punto de la muerte,' él la hubiera recibido inmediatamente."

¡No sólo en esta humildad – mira la confianza en esta declaración! Este es otro sello distintivo de El Caminito que será el tema de nuestra próxima lección.

Pero primero, necesitamos practicar "el reconocer nuestra nada" aceptando el hecho de que casi nunca lo hacemos así. En un grado u otro, todos tenemos la tendencia de creer que estamos confiando en Dios en vez de en nuestras propias habilidades cuando, en realidad, estamos haciendo exactamente lo opuesto.

Por ejemplo, ¿Cuántas veces hemos luchado para vencer la tentación de comer en exceso, de descargarnos con nuestros compañeros de trabajo, de ver programas o películas lascivas en el televisor, sólo para caer una y otra vez? Confesamos estos pecados cada mes, con la resolución de enmienda pero aún con nuestros mejores deseos seguimos cayendo. El confiar en nosotros mismos, es probablemente la razón que hay detrás de estas caídas repetidas. Simplemente no estamos dependiendo de Dios en la manera que deberíamos hacerlo.

Podemos identificar esta autosuficiencia cuando examinamos cómo respondemos al tener otra caída. Mientras es natural que nuestra primera reacción sea de decepción o vergüenza, si por estas caídas nos quedamos horas atormentandonos, aún con la intención de "castigarnos a nosotros mismos" ésta puede ser una señal de que no estamos reconociendo nuestra nada. Podría muy bien ser que estamos tan sorprendidos y perturbados por esta caída porque secretamente tenemos una alta estima de nosotros mismos y estamos aturdidos de saber lo débiles que somos realmente.

En El Caminito no hay tal ansiedad o abatimiento.

"Yo tengo muchas debilidades," Teresita admite libremente, "pero nunca me asombro por ellas"[33]

¡En su lugar, hacía oración de sus caídas!

"Nos agradaría nunca caer. ¡Qué anhelo! ¿Qué importa, mi Jesús, si caigo a cada momento? Vengo a reconocer por ello lo débil que soy y eso es ganancia para mí. Ves con esto lo poco que puedo hacer y Tú estarás más propenso a llevarme en tus brazos. Si no lo haces así, es porque te gusta verme postrada en el suelo. Bien, entonces, no me preocuparé pero extenderé mis brazos hacia Ti con gran amor. No puedo creer que Tú me abandonarías."[34]

---

33 Citado en *La Doctrina Espiritual de Sta. Teresita de Lisieux,* página 39
34 Ibídem

De la misma manera, *les tout-petits* no deben estar sorprendidos cuando cometen una falta porque saben lo débiles que son, y lo propensos que son a tratar de "hacerlo" por ellos mismos en lugar de confiar en la ayuda de Dios. En lugar de sucumbir a este orgullo secreto, Teresita inmediatamente se arrepentía de su error y corría directamente en los brazos de Jesús que sabía que le ayudaría a hacer mejor la próxima vez.

Incluso cuando era niña ella era así. En una ocasión cuando rompió el empapelado no podía esperar a su padre que llegaría tarde a casa, para confesar su crimen. Tan pronto como entró en la puerta, le dijo a su hermana, "¡Oh Marie rápido, ve a decirle a papá que rompí el empapelado!" Como describe su mamá en una carta, "Esperaba su sentencia como si fuera una criminal. Hay una idea en su pequeña cabeza, que si ella admite algo, será más fácilmente perdonada."[35]

Esta "idea en su pequeña cabeza" un día llegaría a ser una parte integral de su Caminito y refl(ejaría, ambas la humildad y la confianza en Dios que esta senda espiritual requiere.

"Tomemos humildemente nuestro lugar entre los que imperfectos. Considerémonos pequeños y necesitados del sostén de Dios que nos hace falta a cada instante. Tan pronto como Él ve que estamos completamente convencidos de nuestra nada, Él extiende sus manos hacia nosotros. Si todavía continuamos tratando de hacer algo grande, aunque sea bajo el pretexto de la diligencia, nuestro buen Señor Jesús nos deja solos."[36]

---

35 Clarke, John OCD, *La Historia de un Alma: La Autobiografía de Sta. Teresita de Lisieux (*Washington DC: Publicaciones ICS) 1972 página 19
36 Carta a la Hermana Genevieve, 7 de Junio de 1897

Algunos podrían ser tentados a estar preocupados por sus caídas, y a pensar que esto comprueba que simplemente no aman a Dios lo suficiente, pero aún esto no fue una excusa para Teresita.

"Si soy humilde, tengo derecho, sin ofender al buen Señor, de hacer tonterías hasta la muerte. Mirad a los pequeños. Ellos constantemente rompen cosas, las destrozan, caen y todo el tiempo, a pesar de eso, aman mucho a sus padres. Pues cuando yo caigo en esta forma, como un niño, me hace notar aún mejor mi nada y mi debilidad y me digo a mí misma: "¿Qué será de mí? ¿Qué podría yo lograr si tuviera que confiar en mis propias fuerzas?"[37]

Cuando caemos por debilidad y no por falta de buena voluntad, nuestras imperfecciones no ofenden a Jesús y no nos impiden amarle.

Otros podrían ser propensos a culpar sus caídas a causas físicas como las enfermedades o el clima en lugar de atribuirlo a sus propias imperfecciones. Aunque la enfermedad y otras fuerzas externas pueden sin duda influenciar nuestras mentes y nuestra conducta moral, Teresita nos advierte no perder de vista el hecho de que Dios siempre concede las gracias necesarias para superar todos los obstáculos cuando recurrimos a Él – aún condiciones externas.

Como nos explica el Padre Jamart, "Además ella nos advierte que si nos refugiamos detrás de las enfermedades físicas, para excusarnos de nuestras imperfecciones y caídas, corremos el riesgo de pasar por alto nuestra responsabilidad personal hacia ellas. Ella más bien quiere que reconozcamos esa responsabilidad y que confesemos que cuando hemos caído ha sido

---

37 Citado en *La Doctrina Espiritual de Sta. Teresita de Lisieux,* página 40

porque no hemos recurrido a la oración como debimos haber hecho o porque nos hace falta la generosidad. Entonces estamos más cerca de la verdad y eso es totalmente para nuestra ventaja."[38]

En otras palabras, no importa porque hemos caído, "como niños" tendremos que caer lo cual es por nuestra debilidad no por la falta de buenos deseos.

Aceptar nuestra pequeñez no es la finalidad en la enseñanza de Teresita sobre la humildad. ¡Es tan sólo el principio!

No debemos estar satisfechos con vernos a nosotros mismos como lo que realmente somos. ¡O no! Esto no es suficientemente diferente a el ser como un *les tout-petitis* (niño). Tienen que aprender cómo *amar* su nada.

"No siempre soy tan rápida como me gustaría ser en elevarme por encima de las cosas insignificantes de este mundo. Por ejemplo, podría estar inclinada a preocuparme de algunas cosas tontas que he hecho o dicho. Entonces me reanimo y digo: 'Ay, todavía estoy en el punto en donde empecé.' Pero digo esto con una gran paz sin tristezas. Es verdaderamente dulce sentirse débil y pequeño."[39]

Que nos confronten por nuestras debilidades es algo que a la mayoría de nosotros no nos es grato. ¿Cómo entonces lograremos esto?

Es muy sencillo. En lugar de enfocarnos en las debilidades por sí mismas, necesitamos considerar que precisamente esto es lo que atrae a Dios a nosotros,

---

38 Ibídem

39 Clarke, John OCD. *Sta Teresita de Lisieux, Sus* Últimas *Conversaciones*, Washington DC: Publicaciones ICS, 1977) página 73-74

nuestras debilidades. Y cuando Dios te ayuda, piensa en todo lo que puedes lograr que no podrías lograr sin Él. Es muy fácil amar nuestras debilidades cuando comprendemos a cuanta más ayuda de Dios tenemos derecho, por el sólo hecho de poseerlas.

Una y otra vez en las Sagradas Escrituras, Dios nos repite esta verdad.

"Te basta con mi gracia, pues mi poder[40] se perfecciona en la debilidad.' Más bien voy a alardear con mucho gusto de mis debilidades, para que el poder de Cristo esté en mí."

Vemos esta verdad en una forma más dramática en la historia de Gedeón, quien se consideraba a sí mismo como el último de su familia, y sin embargo fue llamado por el Señor para defender a los Israelitas del poder de la armada de los Madianitas. Cuando Gedeón protestó, el Señor le dijo, "Yo estaré contigo y tú liquidarás hasta el último hombre de los Madiánitas." [41]

Gedeón obedeció y se reunió a sí mismo el ejército más grande que podía reunir y salió a encontrarse con el enemigo con una fuerza extraordinaria.

Sin embargo, mientras Gedeón se aproximaba al campamento del enemigo el Señor lo detuvo y le dijo, "Tienes demasiados soldados contigo para que entregue a Midian en su poder, no sea que Israel presuma y diga, 'Mi propio poder me ha salvado. '"[42]

Se le dijo a Gedeón que les preguntara a los soldados si alguno tenía temor. A todos los que admitieron tenerlo, se les pidió que se retiraran.

---

40 Corintos 12:9

41 Jueces 6:16

42 Jueces 7:2

Veintidós mil soldados así lo hicieron y permanecieron solamente diez mil.

Una vez más el Señor le dijo que había demasiados soldados y le dijo a Gedeón que debía llevar los soldados que quedaban al río y que solamente los soldados que tomaron agua con la lengua como un perro podrían quedarse. Todo aquel soldado que se arrodilló a beber agua, fue apartado. Después de esto quedaron solamente trescientos soldados.

El Señor entonces le dice a Gedeón: "Por medio de los trescientos soldados que tomaron agua con la lengua te salvaré y entregaré Midian en tu poder."[43]

Es fácil ver lo que el Señor estaba haciendo con Gedeón. Lo debilitaba deliberadamente, al despojarlo de su ejército. Y sólo cuando le quedaban tan pocos soldados que no podía presumir de la inminente victoria, el señor lo envió a la batalla.

La humildad causa esto en nosotros – nos debilita. Y esta debilidad es una muerte a sí mismo que le da al Señor más espacio en nuestra alma para que Él pueda actuar. Si estamos constantemente tratando de hacerlo nosotros mismos, el Señor no tiene espacio para trabajar en nosotros. En cambio nuestros débiles y torpes esfuerzos sólo se interponen en el camino de las cosas mucho más grandes que tiene reservado el Señor para nosotros.

Así como San Pablo y Gedeón, Sta. Teresita aprendió cómo glorificar en sus debilidades.

Elle alguna vez le escribió a su prima, "Amiga mía estás equivocada, si te imaginas que tu pequeña Teresa camina toda exaltada en la virtud. Ella es débil, muy

---

43 Ibidém 7:7

débil. Ella siente esta debilidad cada día; pero Jesús se complace en enseñarle la ciencia de glorificarse en estas inseguridades. Esta es una gran gracia y yo le pido al Señor que te enseñe también a tí a hacer lo mismo, pues en esto se encuentra la paz y el reposo del corazón."44

Teresita no vió la razón para esconder sus debilidades a los demás, siendo que la mayoría de nosotros detestamos estar expuestos a la crítica con otras personas.

¡Teresita no!

"Que te encuentren imperfecto es precisamente lo que necesitas" alguna vez comentó a sus novicias. "Eso es una verdadera bendición porque entonces puedes practicar la humildad, la cual consiste no solamente en pensar y decir que estás llena de defectos, sino en alegrarse en que los demás piensen y digan eso mismo de tí."45

En los ojos de Teresita, esto es necesario si hemos de llegar a ser realmente pequeños. Ella constantemente se esforzaba por aceptar todas las humillaciones que se le presentaban en la vida – los comentarios sarcásticos que lastimaban sus sentimientos, los malentendidos, las injusticias, y las traiciones. Ella solía llamarle a todo esto sus "ensaladas de vinagre" y siempre tenía cuidado de no dejar a nadie saber que esto lastimaba sus sentimientos porque no quería llamar la atención a sí misma.

¡Ella, para su ventaja hasta llegó a usar la crítica injusta diciendo que la usaría para humillarse

---

44 Carta a Marie Guerin, Julio 1890, cita en *Doctrina Espiritual Completa de Sta. Teresita de Lisieux* página 42.

45 *Doctrina Espiritual Completa de Sta. Teresita de Lisieux,* página 42.

pensando en cuán capaz era de hacer aquello de lo cual se le acusaba!

Los pequeños nos se dejan abatir cuando sus debilidades parecen ser interminables.

Como Teresita señala, "Para pertenecer a Jesús, debemos ser pequeños, pero hay muy pocas almas que aspiran a permanecer en esa pequeñez."[46]

Después de un tiempo, podemos llegar a estar descorazonados cayendo siempre en las mismas culpas e imperfecciones. ¿Debemos permanecer siempre pequeños y sin poder?

Sí – sí así Dios lo quiere.

"Sin duda, es doloroso ser constantemente confrontados con nuestras miserias. ¿Pero, si Dios considera que es correcto dejar esto con nosotros, entonces es justo que nos quejemos? Padre Jamart pregunta. "¿No sabe mejor Dios, qué es lo más beneficioso para nuestra alma? Además estas repetidas caídas son frecuentemente necesarias para que nos conozcamos mejor así mismos, y para convencernos de la necesidad que tenemos de la ayuda divina, y para enseñarnos la humildad del corazón."

Dios no puede actuar eficazmente en nuestra alma y llevarla a la perfección a menos que ésta sea perfectamente humilde y que esté completamente convencida de que todo nos viene de Dios.

Esto no significa que simplemente levantamos las manos y decimos, "¿Por qué hermano? Yo también podría dejar de intentarlo porque Dios obviamente no quiere ayudarme a corregir esta falta."

---

46 Carta a Celine, 25 de Abril de 1893, citado en *Doctrina Espiritual Completa de Sta. Teresita de Lisieux*, página 43. 50 Ibídem

El alma que es realmente humilde nunca arriesgaría aceptar una imperfección de esta forma. Como el Padre Jamart nos aconseja, mientras estas faltas nos desagradan, no nos pueden hacer ningún daño.

Mejor, cuando nos sentimos descorazonados por nuestras repetidas faltas, debemos enfocar nuestra atención en Jesús en lugar de morar en nuestras imperfecciones.

"Si tu eres nada, recuerda que Jesús lo es *Todo*. Por lo tanto, pierde tu pequeña nada en su infinito *Todo* y piensa solamente en ese *Todo*, que por sí solo es adorable."[47]

Este invitación está en proporción con la simplicidad que endulzó la humildad de Teresita. En contraste con los tantos que catalogan la perfección como un camino complicado y arduo lleno de duras penitencias y escrupulosos ejercicios, para Sta. Teresita obtener la perfección – o perfecta humildad – era completamente lo opuesto.

"La perfección es fácil para mí. Me doy cuenta que es suficiente con que aceptemos nuestra nada y nos abandonemos como niños en los brazos de nuestro buen Señor."[48]

Esto tiene sentido para aquellos que quieren caminar el camino de la infancia espiritual porque los niños son simples por naturaleza. Son simples de

pensamiento, en la forma en que se expresan, y en la forma en que actúan. Los niños dicen exactamente lo

---

47 Carta a Marie Guerin, Julio 1890
48 Carta al Padre Rouland, cita en *Doctrina Espiritual Completa de Sta Teresita de Lisieux,* página 134

que piensan porque no han aprendido todavía a ser hipócritas.

El alma infantil es también simple. No se complica con egoísmos, amor propio, y apegos a esto y a lo otro. Su conducta es ingenua. Hace lo que tiene que hacer sin fingir nada. Existe sólamente para Dios, se apoya en Él a cada momento, y busca complacerlo en todo lo que hace.

Este querer complacer a Dios en todo lo que hacemos – esta particular intención del corazón – es lo que nos libra del pecado de presunción.

Teresita creía que este camino a la santidad era lo que le iba mejor a *les tout-petits*.

La santidad no consiste en esta o aquella práctica, ella escribe, "pero es esta cierta disposición del corazón lo que nos hace humildes y pequeños descansando en los brazos de Dios, lo que nos hace darnos cuenta de nuestra debilidad, pero al mismo tiempo, nos da tal confianza, para jactarnos en la bondad de Dios como nuestro Padre.[49]

Todo lo que contiene El Caminito, incluso la búsqueda de la virtud más elevada la cual es la humildad, debe ser simple para que sea accesible a las almas pequeñas las cuales poseen una vida que está compuesta de lo ordinario, y común.

Después de todo, siendo la Reina de los pequeños, ella ejemplificó lo que significa ser una alma muy pequeña, ser aquel que puede ofrecer a Dios solamente las cosas más pequeñas e insignificantes.

Lo cual no nos debe de avergonzar porque "Dios no tiene la necesidad de obras brillantes, de pensamientos

---

49 Últimas *Conversaciones*, página 129

hermosos. ...No es ni la inteligencia ni el talento lo que Él busca en la tierra. Él ama la simplicidad. De hecho mereceríamos piedad si fuera requerido de nosotros que hiciéramos grandes cosas."[50]

Como explica el Padre Jamart, "Nada es insignificante en el servicio a Dios; pues definitivamente el valor de una acción no vienen de la importancia de su objetivo. Viene de la intención con la cual la realizamos y del amor que aplicamos en hacerla."[51]

En vez de esto, "Las pequeñas cosas hechas por amor son aquellas que cautivan el Corazón de Cristo..."[52]

Por ejemplo, cuando entró al Convento del Carmen de Lisieux ella se mortificaba en las comidas mezclando hierbas amargas con los alimentos que más le gustaban, pero eventualmente se dió cuenta que "estaba más en conformidad con la virtud de la simplicidad el ofrecerlos al buen Señor y darle las gracias por las cosas que encontraba que fueran de mi agrado."[53]

No había mejor regla que "seguir lo que el amor nos inspira a hacer momento a momento, con el único deseo de complacer al buen Señor en todo lo que Él nos pide." [54]

En ese caso, en El Caminito de Sta. Teresita, hasta nuestra nada puede ser hecha como una ofrenda. "Si yo siento que no tengo nada que ofrecer a Jesús, yo le ofrecería esa nada."[55]

---

50 Citado en *Doctrina Espiritual Completa de Sta. Teresita de Lisieux*
51 Ibídem página 139
52 Carta a Leonie, 12 de Julio de 1896
53 Citado en *Doctrina Espiritual Completa de Sta. Teresita de Lisieux,* página 143
54 Ibidem
55 Carta a la Madre Agnes, 7-8 de Enero de 1889

Viéndonos a nosotros mismos, y aprendiendo cómo amarnos en lo que realmente somos, nos enseña cómo vivir en relación con Dios, con nosotros mismos y con los que nos rodean. Y para hacer esto necesitamos aprender a ser amables con nosotros mismos.

Como nos remarca el Padre Jacques Philippe, "Si nos aceptamos como somos, aceptamos también el amor de Dios por nosotros. Pero si nos rechazamos, y nos despreciamos a nosotros mismos, entonces nos alejamos del amor que Dios tiene por nosotros rechazando ese amor. Si nos aceptamos y a nuestras debilidades y a nuestros límites también nos será más fácil aceptar a los demás."[56]

Esto sucede porque aquellos que no se llevan bien con sigo mismos por lo general tampoco pueden llevarse bien con los demás. La persona que está descontenta de sí misma por sus fallas y fracasos tiende a estar molesta con otros así como lo está de sí.

"La mayoría de los conflictos que tenemos con los demás, no son sino un reflejo de los conflictos que traemos dentro de nosotros."[57]

Jesús nos instruye "Ama a tu prójimo como a tí mismo"[58] ¿Pero cómo podemos hacer esto, si no nos amamos a nosotros mismos?

Para que podamos llevar a cabo este mandamiento, necesitamos aprender a ver nuestros errores y caídas con mucha más sutileza.

---

56 Philippe, Padre Jacques, El Camino de Confianza y Amor (Nueva York, NY: Publicaciones Scepter, 2012. Página 49

57 Ibídem

58 San Marcos 12:31

"Entre más nos aceptemos a nosotros mismos como somos y nos reconciliemos con nuestras propias debilidades, mejor podremos aceptar a nuestro prójimo y podremos amarlo como es."[59]

Ser así de pequeño y amar esta pequeñez por puro amor a Dios requiere una gran confianza en Él, a quien estamos tratando de complacer.

"Es la confianza y sólamente la confianza que nos debe guiar a amar," nos aconseja Sta. Teresita.[60]

La confianza en Dios de Sta.Teresita era tan audaz que llegaba a ser intrépida. En nuestra próxima lección, exploraremos esta sagrada valentía que les permite a *les tout petits* llegar a ser pequeños gigantes en la santidad.

---

59 Ibídem
60 Carta a la Hermana Genevieve, Septiembre, de 1896

Mi Diario en El Caminito

1. Ahora que entendemos la profundidad y verdad del significado de la "pequeña" en El Caminito, ¿Qué sentimientos despierta en nosotros este concepto? ¿Temor? ¿Vulnerabilidad? ¿Incredulidad? ¿Asombro? Explicar con detalle.

2. ¿En qué forma estamos viviendo la infancia espiritual? ¿En la tolerancia de nuestras faltas, en nuestra comprensión de cuánto necesitamos a Dios? Cuáles aspectos de la infancia espiritual tienen más reto en este punto en el cual nos encontramos en nuestro trayecto hacia Dios? Escribamos una corta y simple oración pidiéndole a Dios que nos dé su gracia para enfrentarnos a estos retos, o adaptemos y hagamos nuestra la oración de Sta. Teresita que se encuentra en la página 10.

3. Recordemos la historia de cómo Dios debilita a Gedeón disminuyendo su ejército. ¿Cuáles es nuestro ejército? ¿Qué necesita sea removido de nuestra vida, para que Dios trabaje más eficientemente en nosotros? (Por ejemplo, ¿Necesitamos sentirnos santos, que nos vean como santos, o seguir viviendo con la idea que nosotros tenemos de lo que debe ser la santidad?)

4. Hagamos una lista de las típicas excusas que usamos cuando se nos confronta con repetidas imperfecciones. ¿Culpamos a los demás? ¿Nos justificamos con las circunstancias de nuestras vidas por nuestras faltas?

Pidámosle a Dios que nos dé la gracia de discernir cuáles son las faltas que tenemos bien arraigadas dentro de nosotros, y que nos ayude a entender cuánto necesitamos Su ayuda para poder vencer estas imperfecciones.

5. ¿En qué forma podemos estar haciendo más complicada nuestra vida espiritual? ¿Estamos haciendo demasiadas exigencias a nosotros mismos con demasiados sacrificios, penitencias, oraciones repetitivas etc.? ¿Esto es por amor a Dios o, posiblemente, un deseo de probar a Dios y a nosotros mismos de cuánto podemos hacer por Él? ¿Cuánto podrá, el poner en práctica la enseñanza de Sta. Teresita sobre la simplicidad, impactar las exigencias que estamos haciendo en la actualidad sobre nosotros mismos?

6. El Caminito de la Infancia Espiritual, viene a ser una sola cosa – el amor. Tomemos tiempo suficiente para examinar las intenciones detrás de todas nuestras acciones. ¿Cuánto estamos haciendo por Dios – y cuánto por nosotros mismos? Pidámosle a Sta. Teresita que nos ayude a purificar nuestras intenciones para que llegue el día que hagamos todo sólo para Dios.

7. ¿Qué tan amables somos con nosotros mismos, especialmente cuando caemos? ¿Somos agresivos, severos, o imperdonables? ¿Decimos cosas para sí, las cuales jamás las diríamos a nadie más? Dios trata nuestras faltas y caídas en la misma forma en la cual trata a las del Hijo Pródigo – con misericordia y compasión. ¿En qué forma, podremos respondernos a nosotros mismo de este modo en un futuro? Escribamos una corta oración, pidiéndole a Dios que nos conceda la gracia del amor de sí mismo así como Él nos ama, para que de esta manera podamos llegar a ser mejores, más cariñosos y amorosos con los demás.

La Confianza

"...Buscar todo de Dios, como un niño pequeño busca todo de su padre."

¿Podría haber una definición más simple de lo que es la confianza en Dios?

Si la humildad es el centro de El Caminito de Sta. Teresita, entonces la confianza es el corazón. Esto tiene sentido porque uno no puede confiar en alguien – al punto de poner su vida en las manos de esa persona – a menos que se tenga una completa seguridad en ella y con la certidumbre que se puede tener sólo cuando hay amor.

Este fue definitivamente el caso con Sta. Teresita. Ella tenía una fe sin límites en Dios como su Padre y, hasta en las horas más obscuras – cuando estaba muriendo de tuberculosis y sufriendo la noche oscura y terrible por la que pasaba su alma, al mismo tiempo – ella se negó a creer que Dios alguna vez la abandonaría.

"Jesús se cansará más rápido de hacerme esperar que yo de esperarlo a Él,"[61] dijo ella alguna vez, con su audacia característica.

Mucha de su confianza en Dios fue fundada al descubrir y al saber que Él era su Padre no un Juez. Esto no fue una hazaña fácil, especialmente en el período que reinaba el movimiento religioso conocido como el Jansenismo que en Francia era particularmente fuerte en esos tiempos. Junto con su rigor moral y el estricto ascetismo, el Jansenismo predicaba que sólo una cierta porción de la humanidad podía ser salvada y que sólo la perfecta contrición era aceptada por Dios. Por eso, la creencia de Sta. Teresita de ver a Dios como un Padre misericordioso fue una desviación radical del sentimiento religioso prevaleciente en esa época.

Muchos creen que la razón por la cual ella fue capaz de hacer crecer un amor filial por Dios como su Padre fue por el gran ejemplo de su padre terrenal, San Luis Martín con quien ella estaba muy unida y cercana. Este hombre gentil y devoto, a quien ella se refería como su "querido Rey"[62] ejemplifica las características de un buen padre quien era devoto y paternalmente protector pero quien también proveía a sus hijos todo lo que necesitaban para crecer físicamente y espiritualmente.

No es de extrañar que en alguna ocasión le haya dicho a su hermana, "Es tan dulce que llamemos a Dios nuestro Padre!"[63]

---

61 Carta a Madre Agnes, Abril o Mayo de 1890

62 Sta. Teresita de Lisieux, *La Historia de una Alma: La Autobiografía de Sta. Teresita de Lisieux,* traducida por Juan Clarke, OCD (Washington, DC: *Publicaciones ICS, 1972),* página 37

63 Conversación recordada por su hermana Celine, *Una Memoria de Mi Hermana Sta. Teresita,* página 109, citada por Padre Jacques Phillippe en *El Camino de la Confianza y de el Amor (*Nueva York, NY: *Publicaciones Scepter, 2011),* página 68

Esta tenaz creencia en un Padre Dios que tenía todas las cualidades más tiernas y dulces que tenía su padre terrenal sin duda motivaron su gran confianza en la misericordia de Dios – incluso a pesar de los tiempos en los que ella vivió. Ella simplemente no podía imaginar a Dios siendo otra cosa, de lo que ya es – "lento para la ira y grande en la misericordia"[64]

"...Aunque tuviera en mi conciencia todos los pecados que pueden ser cometidos, iría, con el corazón roto, a arrepentirme y a arrojarme en los brazos de Jesús, pues sé lo mucho que Él estima al hijo pródigo que regresa a Él."[65]

Si, sería fácil experimentar este tipo de certeza si fuéramos como Sta. Teresita quien nunca cometió un pecado mortal en toda su vida, pero ¿qué pasa con aquellos de nosotros que si los hemos cometido?

La respuesta que nos da Sta. Teresita es lo que la caracteriza: "...Yo siento que si (aunque sea imposible) tuvieras que encontrar un alma más débil y más pequeña que la mía, te dignaras a bañarla de favores aún mucho más grandes, si tan sólo se abandona a tí con completa confianza en tu infinita misericordia."

En la opinión de Sta. Teresita, debemos tener confianza en la misericordia de Dios no a pesar de lo que hemos hecho o de las muchas debilidades e imperfecciones contra las que tenemos que luchar cada día, sino *debido* a ellas!

Debemos de hacer esto porque "la miseria atrae a la misericordia."[66]

---

64 Salmo 145:8

65 Citado en *Doctrina Completa Espiritual de Sta. Teresita de Lisieux,* página 64 Ibídem página 63

66 Padre Jean du Coeur de Jesus, *Yo creo en el Amor* (Petersham, MA: *Publicaciones de Sta. Bede, 1974)* página 17

Estar conscientes de esta cualidad esencial de Dios, y ponerla en práctica es lo que Sta. Teresita describe como "tomar a Jesús por el corazón."

"Nuestro Señor tiene una debilidad. Él está ciego y realmente no sabe nada de aritmética. No sabe como sumar un par de números, pero para cegarlo y prevenirlo para que no sume...debemos tomarlo por el Corazón. Este es su punto débil." [67]

¿Cuál es este punto débil y zona ciega en el Corazón de Dios? Nuestra confianza en Él.

"Es esta confianza la cual hace que pasen todos los milagros,"[68] escribe Padre Jean Du Coeur de Jesús.

El ejemplo perfecto de la respuesta de Dios a este tipo de humildad y confianza puede ser encontrada en la historia del Buen Ladrón, quien estaba crucificado al lado de Jesús en el Gólgota. Él sabía que merecía todo castigo y por eso le dice al otro criminal quien estaba colgado al otro lado: "Sin duda nosotros hemos sido condenados justamente, pues nuestra sentencia corresponde a nuestros crímenes, pero este hombre no ha hecho nada criminal." Entonces el Buen Ladrón se vuelve a Jesús y le dice, "Jesús, acuérdate de mí cuando vengas en tu reino."[69]

¿Y qué le contesta Jesús? "En verdad te digo que hoy estarás conmigo en el paraíso." [70]

---

67 Citado en *Doctrina Completa Espiritual de Sta. Teresita de Lisieux,* página 66

68 *Yo creo en el Amor,* página 30

69 San Lucas 23: 40-42

70 San Lucas 23:43

En ese instante, toda una vida de pecado fue perdonada y olvidada – y todo por una mirada humilde, llena de confianza y arrepentimiento hacia el Salvador.

"Si miras a Jesús, con la mirada del Buen Ladrón, ¿No crees que serás purificada en un instante, como lo fué él...?" Padre Jean escribe. "Jesús no necesita nada, sólo tu humildad y tu confianza para llevar a cabo en tí purificaciones y santificaciones que serán maravillosas. Y tu confianza será proporcional a tu humildad porque es en la medida en que nos damos cuenta de cuánto necesitamos a Jesús, que recurrimos a Él, y sentimos esta necesidad en la medida en la que debidamente nos damos cuenta de nuestra falta de mérito." [71]

Es imposible ser verdaderamente humilde sin este tipo de confianza. Es la única forma que nosotros frágiles e imperfectos seres humanos podemos soportar vernos a nosotros mismos como las débiles, vulnerables y dependientes criaturas que realmente somos. Es simplemente muy aterrador. Confianza en la misericordia amorosa de Dios es un requisito absoluto si en algún momento vamos a lograr tener la verdadera humildad.

Pero con esta confianza, tenemos en nuestras manos la mismita llave del corazón de Dios.

Como dice Sta Teresita, "Él mide los regalos que nos otorga, de acuerdo a la cantidad de confianza que encuentra en nosotros." [72]

De acuerdo a Sta. Teresita, es completamente imposible tener demasiada confianza en el buen Señor quién es poderoso y misericordioso, por lo cual ella

---

71 *Yo Creo en el Amor,* página 22

72 Citado en Doctrina Completa Espiritual de Sta. Teresita de Lisieux, página 64

creía que "obtenemos de Él tanto como esperamos recibir de Él." [73]

¿No nos enseña esto Él mismo cuando le dice al hombre ciego, "Hágase en ustedes según su fe."? [74]

¿No nos enseña que "Por eso les digo que todas las cosas por las que oren y pidan, crean que ya las han recibido, y les serán concedidas?" [75]

¡Vemos hasta dónde quiere que empujemos nuestra confianza, tanto como para creer que ya hemos recibido lo que pedimos!

Pero no es así como la mayoría de nosotros nos comportamos. En lugar de esto, nos comportamos más como lo hicieron los discípulos cuando iban en el bote cruzando el Lago de Tiberias. Cuando rompe la tormenta y las olas empiezan a romper en el bote, les invade el pánico y le imploran a Jesús quien duerme en la popa del bote. "¡Maestro! ¿No te importa que perezcamos?"[76] Jesús se despierta y reprende no sólo al viento pero también a los discípulos por la poca confianza que tenían enJesús. "¿Por qué están aterrorizados? ¿Cómo no tienen fé?"[77] Jesús les reclama.

Como el Padre Jean escribe: "Puedo oír a Jesús amonestándolos con dulzura pero también con dolor. "¿Por qué es esto? Yo estaba con ustedes en el bote – Yo dormía pero estaba ahí y ustedes temían, estaban aterrorizados. Dudaban o de mi omnipotencia o de mi amor. ¿Todavía no saben quien Soy, y no saben con qué ternura los cuida mi Corazón constantemente? Es

---

73 Ibidem, página 61
74 San Mateo 9:29
75 San Marcos 11:24
76 San Marcos 4:38
77 Ibídem vs. 40

verdaderamente este tipo de duda la que lo ofende más que nada."[78]

En su lugar esta es la oración que debería salir del alma que tiene confianza aún en tales momentos: "Contigo, Jesús, no puedo perecer; Tú estás siempre en la barca conmigo; ¿Qué tengo que temer? Tú puedes dormir; yo no te despertaré. ¡My pobre naturaleza temblará, oh sí! Pero en la mitad de la tormenta con toda mi voluntad y confianza en tí yo permaneceré en paz."[79]

Para muchos de nosotros, tal oración nos cae pesada porque a pesar de nuestras mejores intenciones nos falta la virtud de la esperanza. A pesar de que la mayoría de nosotros creemos que esta virtud se trata de esperar que todo va a estar bien, la virtud de la esperanza que es sobrenatural es la que confía que Dios le cumplirá Sus promesas.

Como Padre Gabriel de Sta. María Magdalena explica, la virtud de la fe nos dice que Dios es bondad, belleza, sabiduría, providencia, caridad e infinita misericordia pero es la virtud de la esperanza la que nos asegura que este Dios maravilloso de hecho nos pertenece.

"Miramos al Dios infinito que es perfecto e inmensamente más grande que nosotros, una débil, miserable criatura y nos preguntamos: ¿Cómo puedo llegar a Él y estar unida a Él quién está infinitamente más allá de mi capacidad¿ Y la esperanza me responde: Tú puedes, pues es Dios mismo quien lo quiere así; fue por esta razón que Él te creó y te elevó al estado

---

78 *Yo Creo en el Amor,* página 24

79 *Yo Creo en el Amor,* página 24

sobrenatural, dándote toda la ayuda necesaria para lograr tan ardua tarea."[80]

Él nos recuerda que el Tratado de Trent afirma que todos debemos tener "una muy firme esperanza – *firmissimam spem* – en la ayuda de Dios" porque Él ha prometido esta ayuda a todos aquellos que lo amen, y que recurran a Él con confianza.

Tomar nota de cuáles son las condiciones para llegar a poseer este tipo de esperanza – amarlo y acudir a Él con confianza de que obtendremos la ayuda que necesitamos. No necesitamos ser perfectos o no poseer pecados ni en ninguna forma ser extraordinarios. Todo lo que se requiere de nosotros es que amemos a Dios y que confiemos en Su promesa de ayudarnos.

"La esperanza es la virtud de las personas que saben que son infinitamente débiles, y que se quiebran fácilmente pero que dependen de Dios con absoluta confianza."[81]

Claro, este tipo de esperanza puede venir solamente de la experiencia de una pobreza que es radical lo cual es lo que nos permite poner toda nuestra confianza sólo en Dios.

Aunque Él exige nuestra cooperación y nuestras buenas obras,Él no quiere que basemos nuestra confianza en ellas," Padre Gabriel escribe. "De hecho, después de insistirnos de que hagamos todo lo que está en nuestro poder, Jesús añade: 'Cuando hayas

80 Padre Gabriel de Sta. Maria Magdalena, *Intimidad Divina*(Rockford, IL: *Libros y publicaciones TAN, 1196)* No. 246, página 735

81 Phillippe, Padre Jacques, *Libertad Interior* (Nueva York, NY: *Publicaciones Scepter, 2002)* página 100

hecho todas estas cosas que se te piden, dí así: somos sirvientes improductivos. '"[82]

Así como un acto de fe es más meritorio cuando es hecho en los tiempos de duda, así es la esperanza cuando nos aferramos en los momentos en que nos preguntamos por qué nuestro buen Dios puede permitir que nuestras vidas estén llenas de tales males como la muerte y la destrucción. En esos momentos cuando toda esperanza parece estar ausente, cuando nuestra fe es sacudida, y nuestros corazones están rotos, un acto de esperanza en Dios, aunque hecho entre dientes vale más que miles de actos hechos durante tiempos de alegría y júbilo.

Esto es porque las virtudes teológicas de la fe, esperanza, y caridad, son puestas en práctica con la voluntad y no son el resultado de nuestros sentimientos.

Como Sta. Teresita describe cerca del fín de su vida cuando estaba teniendo tremendas dudas sobre la fe, cuando ella cantaba de la alegría del cielo y de la posesión eterna de Dios, ello no siente ningún gozo al hacerlo, sin embargo esto no la detiene. En lugar de esto ella decía, "Yo simplemente canto lo que quiero creer."[83]

Su esperanza en Dios fue una cuestión de pura voluntad y no tuvo nada que ver con "sentimientos" como si todo fuera a estar completamente bien.

En su lugar, ella respondió de la manera que Job lo hizo cuando dijo, "Aunque Él debería matarme, voy a confiar en Él."[84]

---

82 *Intimidad Divina,* No. 247, página 738

83 *La Historia de una Alma,* página 214

84 Job 13:15

Es por eso que algunos de los maestros espirituales creen que aunque la caridad es la virtud más grande de las tres virtudes teológicas, la esperanza es de hecho la más importante.

"Mientras la esperanza perdure, el amor se perfecciona. Si la esperanza se extingue, el amor se enfría."[85] Escribe Padre Phillippe por lo cual él ve un mundo sin esperanza es un mundo sin amor.

Pero la esperanza no puede estar sóla. También necesita la fe.

"Un hombre de fe no es el que cree que Dios puede hacer todo, sino el que cree que puede obtener todo de Dios."[86]

Esto es precisamente lo que San Pablo quiso decir cuando escribió, "Todo lo puedo en Cristo que me fortalece." [87]

Cuando entendemos este principio – que el alma bien intencionada puede obtener lo que necesita de Dios – es fácil ver cómo la falta de esperanza nos puede llevar al desaliento. De hecho, Sta. Teresita creía que el dolor que nos tropieza después de una caída no es más que "el dolor a nuestro amor propio." [88]

Nuestra alma se paraliza cuando vamos tristemente dándole vueltas a nuestras propias imperfecciones," [89] decía ella.

---

85 *Libertad Interior* página 107

86 *Libertad Interior* página 107

87 Filipences 4:13

88 Citado en Doctrina Espiritual Completa de Sta. Teresita de Lisieux, página 64

89 Ibídem

El Padre Jamart añade: "Nos demuestra también, cuán defectuosa es nuestra confianza en Dios, en gran medida Dios viene en nuestra ayuda en proporción a nuestro consentimiento en permanecer como pequeños y en cuánto dependemos de Él.[90]

Este desánimo, este sentimiento de desesperanza, que puede llegarnos en tiempos difíciles, también podría ser el resultado de una especie de desesperación secreta que desmiente nuestra necesidad de redescubrir la virtud de la esperanza.

El recordar que la esperanza es una virtud que es puesta en práctica primordialmente por la voluntad, Padre Philippe nos dice que necesitamos mantener nuestra voluntad fuerte y emprendedora. Pero para poder hacer eso la voluntad tiene que ser animada por el deseo.

"El deseo puede ser fuerte sólamente si lo que es deseado es percibido como algo accesible, o possible. No podemos efectivamente querer algo si tenemos la sensación de que 'que nunca lo lograremos.' Cuando la voluntad es débil, debemos figurar el objeto para que se vea como algo accesible. La esperanza es la virtud que lleva esto a cabo."[91]

Sólo en esta forma "esperanza contra esperanza"[92] podemos aprender a tener esta gran virtud con la misma confianza inquebrantable que tuvo Sta. Teresita de Lisieux.

De acuerdo a la experiencia de Padre Jean, quien dijo saber de algunas almas las cuales eran de las más hermosas y más comprometidas en su fe, quienes se

---

90 Ibídem
91 *Libertad Interior* página 105-106
92 Romanos 4:18

rehusaban a creer que tener confianza tiene tal efecto e influencia sobre el Corazón de Jesús. De hecho en el transcurso de los años mucha gente se le opuso, argumentando que ésta idea era demasiado bella para poder creerla.

Él siempre contesta: "Jesús compró a un precio suficientemente alto y preciado, al precio de su sangre, el derecho de traer a la tierra algo 'tan hermoso.'"[93]

Y aún así siguen argumentando. "¿Y qué entonces? ¿Él me llama así como soy yo? ¿Yo puedo ir a Él con todas mis miserias,y con todas mis debilidades? ¿Él repara lo que yo he hecho mal? ¿Él suple por todas mis carencias y pobrezas?"

El Padre contesta, "Siempre y cuando vayas a Él, que cuentes con Él, que esperes todo de Él, que digas junto con San Pablo *Omnia possum* (Fil 4:13): Todo lo puedo en Él quién es mi única fuerza y mi única virtud."[94]

Para combatir estas dudas que tienen efectos que nos arruinan la confianza, él recomienda esta oración para ser dicha sin cesar: "Jesús, repara lo que he hecho mal, y provee lo que he dejado sin hacer."

También debemos estar en guardia contra esta tendencia, este primer impulso nuestro, de pensar que Jesús está insatisfecho con nosotros cuando caemos. "Oh, cómo me gustaría ayudarle a eliminar esta atmósfera de desconfianza, y ponerle de una vez y para siempre en una atmósfera de amistad con nuestro amigo Jesús, Salvador omnipotente, quien vino para los niños perdidos que somos todos – perdidos sí, pero siendo encontrados otra vez como lo fue el hijo pródigo

---

93 *Yo creo en el Amor,* página 35
94 Ibídem

– una atmósfera de esperanza, una atmósfera familiar en una confianza mutua entre el Padre y el hijo, la cual nos dará una probada en esta tierra de una felicidad que ya es celestial." [95]

¡Si tan sólo nuestro primer instinto después de una caída, fuera el de correr hacia nuestro amigo Jesús en lugar de huir de Él llenos de vergüenza! ¡Qué confianza esto mostraría en el poder salvador de Dios!

Sta. Teresita creyó que la razón por la que su confianza en Dios era tan audaz, era porque Él la había inundado con su Amor – algo que Él quiere hacer con todos nosotros – si tan sólo se lo permitieramos.

"Oh Jesús, permíteme decirte, en mi gratitud ilimitada, que Tu amor se convierte en una verdadera insensatez. ¿En la presencia de tal cómo podría prevenir que mi corazón volara hacia Tí? ¿Cómo podría poner límites a mi confianza? ¿Qué lástima que no soy capaza de revelar Tu inefable benevolencia a las almas pequeñas..."[96]

Así como en cualquier relación, toma tiempo el edificar la confianza. Los amigos deben de verse y hablar regularmente para poder conocerse el uno al otro. En la oración funciona de la misma manera. Independientemente de cuánto tiempo tenemos o no tenemos, se necesita tener un mínimo de fidelidad a la oración. Incluso si son sólo diez minutos antes de acostarse, el contacto regular es una necesidad si esperamos desarrollar una relación de confianza con Dios.

"La fidelidad a la oración requiere mucho más esfuerzo, pero vale la pena. Para serle fiel a este tiempo

95 Ibídem página 37
96 Carta a la Hermana Genevieve, 14 de Septiembre de 1896

que dedicamos a la oración, necesitamos establecer un ritmo, pues nuestras vidas consisten de ellos y se necesitan buenos hábitos incluyendo horas establecidas para orar y eso es todo lo que hay que hacer. Sin cuestionarlo : esto es una firme decisión que hemos tomado. Al principio requiere una lucha, sobrepasando esto nos traerá gran gozo." [97]

También se construye este hábito leyendo y absorbiendo la Palabra de Dios. ¿Cuántos de nosotros hemos recurrido a la Biblia en tiempos difíciles y hemos encontrado un verso – o a veces sólo una palabra – que instantáneamente nos ha tranquilizado el corazón oprimido y nos ha devuelto la paz?

Esto se debe a que la Sagrada Escritura "posee un poder y una autoridad que la palabra humana no posee y ésta puede hacer mucho más para nutrir nuestra confianza en Dios," escribe Padre Philippe. [98]

Hacer actos de fe frecuentemente es también una forma para aumentar nuestra confianza en Dios. "La fe crece cuando se ejercita," [99] particularmente en tiempos de angustia cuando estamos tentados a la preocupación y a la desesperanza. En esos momentos, le decimos al Señor, "Jesús, te lo entrego todo, Tu encárgate de ello," Y esperamos a que actúe el Señor. A veces Él lo hace inmediatamente, pero en algunas otras ocasiones puede llevar años. Pero la persona que tiene fe sabe, y cree, que ninguna oración se queda sin respuesta.

"Todos esos actos de fe que pueden parecer estériles, o sin resultados que podamos ver inmediatamente, son como una semilla. Esas semillas, infaliblemente, darán

---

97 *El Camino de la Confianza y del Amor,* página 82
98 Ibídem página 71
99 Ibídem

fruto a su debido tiempo. No importa si es en cinco minutos o en diez años; permitamos a la sabiduría de Dios que haga su función." [100]

Estos actos de confianza nos permiten que practiquemos nuestra fe y cuando lo hacemos, nuestra fe y confianza crecen más fuertes.

Una de las prácticas más poderosas para hacer crecer nuestra confianza en Dios la encontramos en el Sacramento de la Confesión. Cuando se hace con la disposición adecuada, la cual es la verdadera contrición por nuestros pecados, este Sacramento nos provee con una inestimable experiencia de primera mano, del amor y misericordia de Dios hacia nosotros. Nada sana más rápido a un alma llagada que el bálsamo del perdón.

En una carta que escribió a Padre Belliere, uno de sus hermanos espirituales, ella le cuenta la historia de los dos hijos malportados para explicarle el por qué confiar tanto en la misericordia de Dios. Cuando el padre viene a castigar a sus hijos, uno huye temblando y con miedo mientras que el otro hace exactamente lo opuesto. Se tira en los brazos de su padre, le dice que lo ama, y le implora su perdón. Este último llega todavía más lejos y no sólo le implora a su padre un castigo por sus ofensas sino que lo haga con un beso.

"No pienso que el padre en tal felicidad pueda endurecer su corazón en contra de la confianza filial de su hijo, conociendo su sinceridad y su amor," escribe Sta. Teresita. [101]

Toma gran confianza venir ante Dios en este sacramento y pedir su perdón! Y cada vez que lo hacemos, reforzamos todavía más nuestra creencia en Dios.

---

100 Ibídem página 72

101 Citado en *El Camino de la Confianza y del Amor,* página 96

Mientras se recomienda todo esto para edificar la confianza, tenemos que tener cuidado y estar seguros que verdaderamente estamos confiando en Dios y no en nosotros mismos.

"A veces estamos más o menos bajo una ilusión sobre esto," Padre Philippe nos advierte. "En algunas ocasiones nos las arreglamos para hacer lo correcto, en vivir una vida buena y virtuosa, tener gran confianza en Dios, sin el más mínimo problema; pero en eso nos llegan tiempos difíciles...Nos encontramos cara a cara con nuestros defectos, y entonces nos volvemos tristes y nos desanimamos. Toda nuestra gran fe y confianza en Dios se derrite como la nieve al rayo del sol.

"Esto simplemente significa que lo que llamamos confianza en Dios de hecho no es otra cosa que confianza en nosotros mismos. Si nuestra fe desaparece cuando hacemos algo mal, esto nos demuestra que nuestra confianza está basada en nosotros y en nuestras obras. El desánimo es una señal bien clara de que hemos llegado a poner toda nuestra confianza en nosotros mismos y no en Dios ."[102]

Esta desagradable circunstancia puede ocurrir si pasamos demasiado tiempo enfocados en nuestro progreso en la vida espiritual. Minuciosamente examinamos cada cosa en nuestro comportamiento y evaluamos y medimos que tan cerca estamos de llegar a la perfección.

El resultado más común de este tipo de comportamiento es que creamos "un tipo de descontento y una tristeza permanente" que permitimos que entre en nuestra vida, nos advierte el Padre, porque nunca

---

102 Ibídem página 94

estamos completamente satisfechos de nosotros mismos.

La tarea de hacer un examen de conciencia no debe ser evadido pues necesitamos hacerlo, pero debemos de estar alertas en no permitir que este examen se vuelva en un "mirarnos a nosotros mismos con tristeza."

Tal actitud nos hace centrarnos en nosotros mismos cuando lo que realmente necesitamos es abandonarnos en Dios con una confianza ilimitada." [103]

Para aquellos que quieren vivir la infancia espiritual, debemos creer con todas nuestras fuerzas en estas palabras de Jesús: "Con Dios todas las cosas son posibles." [104]

---

103 Ibídem
104 San Mateo 19:26

Mi Diario en El Caminito

1. ¿En qué forma has sentido la misericordia de Dios en tu vida? ¿En qué forma ha impactado su misericordia el nivel de confianza que tienes en Dios?

2. ¿Alguna vez has sentido que Dios ha hecho mucho por tí, y que te ha dado muchas pruebas de Su amor y misericordia, y que aún así todavía no confías en Él como deberías? ¿Cuál puede ser la razón de tus dudas? Hacer una lista y en oración llevarla a Jesús, pidiéndole que nos conceda su gracia para superar este impedimento.

3. Imagina que estás en la barca con los discípulos cuando los violentos vientos empezarona a soplar y aún así Jesús sigue durmiendo en la popa. ¿Cómo actuarías? ¿Qué es lo que esto te revela a cerca de la confianza que tienes en Dios?

4. El desarrollo de la virtud de la esperanza es un requisito para todos aquellos que desean tener más confianza en Dios, pero la esperanza no se trata de desear que todo salga bien. Es el saber que Dios tiene el control y que Su voluntad es lo mejor. Escribir las circunstancias más difíciles de nuestra vida por las que ahora pasamos – lo que más quisiéramos cambiar - e incluso aunque apenas podamos sacar las palabras, hacer un acto de esperanza.

5. ¿En qué forma confrontas tus imperfecciones? ¿Agonizas sobre ellas? ¿Crees que son demasiado grandes para poder superarlas? ¿Estás cansada de tratar – y fracasar – de corregir esas fallas? ¿Podría ser posible que te estén causando que sufras un "desaliento secreto en tu interior" de nunca poder llegar a la perfección Cristiana, así que ¿para qué tratar? Independientemente de cómo consideramos nuestras imperfecciones, tomemos un momento y en oración renovemos nuestra fe y confianza en las palabras de Dios cuando Él nos dice que "Con Dios, todo es posible" (San Mateo 19:26)

6. ¿Cuáles de las sugerencias ofrecidas para desarrollar más confianza en Dios, te atrae mayormente? ¿Por qué? ¿Cómo puedes incorporar esta práctica en tu vida diaria?

Lección Cuatro

El Abandono

Una vez más, Sta. Teresita describe con su característica simpleza, la tercera cualidad básica para vivir El Caminito.

"Es no dejarse inquietar por nada."[105]

¿Pero cómo es posible el no ser perturbado en nada, para un ser humano así como nosotros, que es tan débil, quien en su estilo de vida frenético es acosado con mil preocupaciones cada día? Tenemos cuentas que pagar, criar a los hijos, trabajos que realizar, mantener nuestros hogares. ¿Puede en verdad alguien hacer esto?

Sí y no. El "No dejarse inquietar por nada" no significa que escaparemos toda preocupación y ansiedad, esto es imposible porque nuestras emociones son parte de la condición humana. Lo que esto significa es que no nos permitiremos a nosotros mismos estar perturbados en forma *deliberada y voluntaria*.

105 *Sta. Teresita de Lisieux: Sus últimas Conversaciones,* traducida por John Clarke, OCD (Washington, DC: *Publicaciones ICS, 1977)* página 138

Nunca debemos, conscientemente, dar vuelo a la ansiedad o a una mente intranquila, pues esto significa que estamos preocupados con el pleno consentimiento de nuestra voluntad. A pesar de que nuestra naturaleza humana podría sentir preocupación y ansiedad, es nuestra voluntad humana la que lo permite.

Esto es lo que Sta. Teresita quiere decir cuando explica que no debemos permitir que nada nos intranquilice. Cuando sentimos que nos presiona la ansiedad y la preocupación, debemos hacer una acto de fe y de confianza en Dios y abandonarnos completamente a lo que Su voluntad tenga preparado para nosotros, en cualquiera que sea la circunstancia en la que nos encontramos y que nos aflige en esos momentos. Este comportamiento puede restaurar grandemente la paz en nuestra alma y también entrena nuestra voluntad a responder correctamente en una situación de angustia.

Por ejemplo, Padre Jean du Coeur de Jesús sugiere recitar la siguiente oración: "Jesús, Tú estás aquí: nada pasa, no cae un cabello de mi cabeza, sin que Tú lo permitas. No tengo derecho a preocuparme." [106]

Cuando dirigimos nuestra atención a Dios en momentos como estos, aprendemos a confiar en Él totalmente, en lugar de confiar en nosotros mismos y poco a poco empezamos a formar dentro de nosotros una actitud de entrega a Dios.

"El abandono es confianza la cual ya no se expresa únicamente a través de actos perceptibles, sino que ha creado una actitud de alma..." [107]

Esta actitud estaba tan bien formada en Sta. Teresita, que una vez declaró al abandono ser "mí única

---

106 *Yo creo en el Amor,* página 55

107 *Soy una Hija de Dios,* página 395

guía."[108] "Yo sigo el camino que Jesús traza para mí...
Él quiere que yo practique el abandono, como un niño
pequeño, el cual no se preocupa de lo que los demás
quieran hacer con él. ...Trato de no estar ocupada
conmigo misma en nada y abandono en Él todo, para
que haga lo que quiera con mi alma."[109] Recordemos
que Sta. Teresita podía hacer esto no porque fuera una
gran santa pero porque era la más pequeñita de todos
los santos, una de las que no sólamente reconocía su
nada, sino que de hecho la abrazaba. Esto era porque
sabía que Dios es todo misericordia, y porque tenía una
confianza perfecta en que Él le proveería con cualquier
gracia que fuera necesaria para cumplir Su voluntad
en ella. Si Él quería que ella llegara a la santidad, e
inspiraba ese deseo en su propio corazón, ella se sentía
completamente segura de que Él le daría los medios
necesarios para obtener ese objetivo.

"El buen Dios no inspira deseos inalcanzables,"[110]
ella afirmaba.

Incluso si eso significaba que Él tenía que
convertirse en lo que ella se refirió tan famosamente
cuando le llamaba "su ascensor" que la llevaba por la
escalera empinada de la perfección. En otras palabras,
Sta. Teresita fue lo suficientemente humilde para darse
cuenta de que ella nunca podría llegar a la santidad sin
la ayuda de la gracia de Dios – la misma gracia que está
disponible para todos nosotros – teniendo la confianza
suficiente para pedirla y aceptar su ayuda en cualquier
forma que eligiera Él para dársela.

Esto es lo que el total abandono realmente
significa. Sta. Teresita no abandonó solamente su vida

---

108 Citado en *Doctrina Espiritual Completa de Sta. Teresita de Lisieux,* página
109 Carta a Abbe Belliere, 21 de Junio de 1897
110 Citado en *Yo Creo en el Amor.* página 16

aquí en la tierra a Jesús, sino que también su vida eterna.

Como ciertamente nos afirma el Padre Jean: "El abandono correctamente entendido, es la renuncia más grande de todas."[111]

Aquí es donde la mayoría de nosotros diferimos con Sta. Teresita. Fallamos en ejercitar la virtud de la esperanza la cual nos permite "quitar el velo" y ver a Jesús detrás de todos los altibajos de la vida. No lo vemos, por lo tanto no nos dirigimos a Él y a la gracia que Él nos tiene preparada. En lugar de estar abierto a Su voluntad, "Frustramos Sus planes, imponiendo nuestros propios puntos de vista, nuestros pequeños planes a los cuales nos agarramos fuertemente," escribe Padre Jean.

¿Por qué hacemos esto? Posiblemente porque le tememos miedo a la cruz, al sufrimiento, a las humillaciones, o porque estamos sedientos de un placer o una ambición.

Dios nos enseña "...[B]usca primero el Reino de Dios y su justicia" [112] y todas las demás cosas nos serán dadas; pero no hacemos esto. Primero buscamos nuestra propia conveniencia, nuestro interés, dinero, etc.

Y como nos enseña Padre Jean, "Jesús se aparta."

Él no nos puede ayudar porque estamos demasiado ocupados haciendo todo por nosotros mismos. Lo hemos excluido.

Este no el camino de *les tout-petits*. Los pequeños no tienen temor de pedir ayuda a sus padres; ni tampoco

---

111 *Yo Creo en el Amor,* página 19
112 San Mateo 6:33

dudan por un instante que ellos les darán la ayuda que necesitan, porque tienen la certeza del amor que ellos les tienen. Como resultado, confiando en este amor y la ayuda disponible, no se preocupan por nada.

"Tal como un niño: que ser esencialmente pobre y confiado, y el estar convencido de su pobreza es su más grande tesoro." [113]

No hay prueba más grande del amor a Dios, y confianza en Él, que el abandono total de nosotros mismos en Él. Lo mejor de todo esto es que esta prueba redunda en nuestro beneficio.

"El abandono...nos da un mejor medio para alcanzar nuestro destino y llegar a la santidad a la cual somos llamados. Dios tiene diseños especiales para cada una de sus criaturas y sólo Él sabe cuáles son," escribe Padre Francois Jamart, OCD.

Cuando tratamos de guiarnos a nosotros mismos, corremos el riesgo de obstaculizar la acción divina como consecuencia de nuestra intromisión y desviación del camino que Dios ha marcado para nosotros; mientras que cuando nos abandonamos en Dios, andamos en camino seguro. Vamos por el camino que nos lleva más rápido a la meta que Él tiene marcada para nosotros."

Uno de los beneficios extraordinarios de abandonarse en Dios, es la gran paz que trae a su paso. Esto es porque el confiar en la voluntad de Dios, permite a una persona estar libre de las implacables demandas de las pasiones y preferencias que nos intimidan a lo largo de nuestras vidas. Estas son nuestros deseos

---

113 P. Marie Eugene, *Soy una Hija de la Iglesia: Una Práctica Síntesis de la Espiritualidad Carmelita (*Clásicos Cristianos: allen, TX, 1955) página 398 (119) Jamart, Padre Francois OCD, Completa *Doctrina Espiritual de Sta. Teresita de Lisieux,* (Staten Island, NY: *Casa Alba, 1961)* página 127

de ganancias y honores mundanos, el preferir ciertas personas y no otras, el querer que todo sea de nuestro agrado para que no tengamos que sufrir ningún tipo de dificultad o malestar. ¡Cómo luchamos sobremanera para que todo salga en la forma que queremos!

Sin embargo una actitud the abandono no piensa así. En lugar de acceder que nos persigan estos deseos en todo lo que hacemos, el verdadero abandono a la voluntad de Dios, nos permite dejar que Él decida el resultado, confiados que eso es lo mejor para nosotros. Cuando actuamos de esta manera le damos la facultad a Dios de estar en control, y no a nuestras pasiones.

Por lo tanto tenemos paz.

"Amo todo lo que Dios me da", le gustaba decir a Sta. Teresita.

Sin embargo, esto no significa el no usar el sentido común para poder así responder apropiadamente en las circunstancias de la vida diaria. Absolutamente debemos prever, hacer planes, y actuar como si todo dependiera de nosotros mismos. Y esto es porque en realidad el verdadero abandono no significa ni estar resignado, ni tampoco quieto o inmóvil.

"A pesar de todas nuestras debilidades, debemos dedicarnos a hacer todo con la mayor fidelidad, y la mayor generosidad...Nuestra tarea es trabajar con toda nuestra buena voluntad, a pesar de nuestro estado de miseria, sin olvidar nunca que Jesús está allí, y que Él nos lleva. Al actuar así con Él, no debemos preocuparnos nunca de los resultados de nuestro trabajo. Si Él desea un aparente fracaso – y digo aparente – porque un fracaso que ha sido deseado por Dios no es realmente un fracaso – todo está bien. 'Gracias Jesús'," nos asesora el Padre Jean.

"Si Él destruye mis pequeños planes, le beso Su mano adorable. Él quiere que se realicen los Suyos, los cuales de todas formas son más hermosos que los que yo hubiera podido haber hecho. Si Él permite que el éxito sea grande – desde mi punto de vista – 'Gracias otra vez.' (Ese gracias es mucho más fácil de decir!)" [114]

Aún cuando en medio de una gran resistencia tenemos que aceptar la voluntad de Dios en alguna circumstancia en particular, ¿Qué importa? Esta lucha sólo confirma que no estamos consintiendo a la preocupación, a la ansiedad, y al desánimo y que estamos haciendo todo lo que está en nuestro débil poder para aceptar la voluntad de Dios.

"Toda esta actividad que es parte de nuestra naturaleza humana, si no le permitimos actuar en nosotros, es cosa nula para Él," Nos asegura el Padre Jean. [115]

Por ejemplo, a veces podremos contemplar pensamientos de orgullo, o intensos deseos de que algo que nuestra voluntad quiere se lleve a cabo. Y cuando albergamos estos pensamientos, debemos preguntarnos a nosotros mismos si sentimos satisfacción al tenerlos. ¿Les damos consentimiento total? La mayoría de las veces probablemente podremos responder, "No, no me complace, y me avergüenzo al tenerlos y trato de resistirlos."

En este caso, no estamos siendo orgullosos, porque el que realmente es orgulloso, está excogiendo serlo voluntariamente. La persona que escoge serlo, no tiene ninguna intención de ser obediente a la voluntad de Dios.

---

114 *Yo Creo en el Amor,* página 53
115 *Yo Creo en el Amor,* página 56

Por otro lado, el que se siente mal al tener estos pensamientos está experimentando el orgullo de nuestra naturaleza humana, la cual atormenta a todos los seres humanos. Haciendo actos de humildad en tales ocasiones diciendo, "Dios mío, tengo grandes deseos de que las cosas se hagan como yo quisiera – pero no se haga mi voluntad sino la tuya" – aunque la segunda parte de la oración se diga sin el sentimiento de sumisión – hemos hecho todo lo que hemos podido. Jesús ve únicamente nuestra buena intención, nuestro esfuerzo ineficaz y débil le complace, y Él proveerá el resto.

"Todos somos pecadores, y debemos de reconocerlo con golpes de pecho; pero el pecador obstinado es el que ha escogido serlo," escribe el Padre Jean.

"No debemos de pensar que la santidad pasa por encima de las tentaciones, dificultades y obstáculos... Vivimos bajo un Maestro quien murió sólo para ponerse de nuevo de pie, y poseemos la esperanza que nos asegura su victoria, una victoria la cual es nuestra en la medida en que no nos separemos de Él. Incluso podemos regocijarnos, en cierto forma, por tener una naturaleza malvada la cual justamente nos da la ocasión de negarle nuestra consentimiento y repetir, "No Jesús, es tu voluntad a la cual yo amo; eso es lo que quiero y nada más. Eres Tú a quien yo escojo.'" [116]

Así como brevemente él lo pone: "El abandono no es otra cosa que una obediencia extrema, ya que consiste en someterse a todo dentro de los límites de lo posible y lo razonable, con el fín de obedecer a Dios quien lo ha previsto y deseado." [117]

---

116 *Yo creo Yo amo,* página 57
117 Ibídem, página 50-51

Vivir en esta forma es vivir la Verdad porque, "todas las lineas, todas las palabras, y todas las letras de nuestras vidas"[118] fueron escritas por Dios.

El Padre Jean cuenta una interesante historia sobre el abandono a Dios que involucró a Sta. Maria Margarita quien nos dejo la devoción al Sagrado Corazón de Jesús. En el transcurso de su vida, Jesús frecuentemente le diría, "Déjame hacerlo"

Sin embargo, no fue hasta el fin de su vida que se dió cuenta exactamente de lo que Él quería decir con esto.

"Si se lo permito, su Sacratísimo Corazón hará todo por mí. Él hará, Él amara, Él deseará por mí y compensará por todas mis faltas."[119]

Cuando nuestras vidas están llenas de problemas, al tratar de razonar con criaturas rebeldes, lidiando con la discordia en el lugar de trabajo o la parroquia y experimentando problemas en nuestras relaciones, ¿Cuántas veces al día nos murmura Jesús al oído, "Déjame hacerlo?" En lugar de ir a Él con fé e invitarle a nuestros problemas diciendo, "Jesús yo deposito esto en Tí" o alguna otra corta oración, nos quedamos allí retorciendo nuestras manos y sintiéndose abrumados y desesperanzados.

Sta. Teresita sin duda sintió el mismo tipo de emociones crudas durante su tan corta vida,así como cuando su querido padre fue llevado a la residencia de ancianos, ella con toda certeza aceptó que su querido Padre en el cielo sabía que eso era lo mejor.

---

118 Ibídem
119 Ibídem

Aún siendo estas circunstancias algo terrible para ella, el día de su profesión al querer con todo su corazón rezar por la cura de su padre, sólo pudo formular palabras de fe en el amor misericordioso de Dios.

"Dios mío, te imploro, que sea tu Voluntad el que Papá sea curado."[120]

La historia nos relata la elección que hizo Dios al dejar a su padre en el asilo hasta su muerte. Aunque esto haya sido tan doloroso para Sta. Teresita, si su Padre amoroso en el cielo decidió esto para su padre terrenal, ¿Cómo podía ella no aceptarlo?

"Yo seguí el camino que me trazó Jesús," ella escribió en alguna ocasión. "Él quiere que yo practique el abandono, como un pequeño niño que no se preocupa de lo que le hagan los demás...yo trato de ya no preocuparme de mí misma en nada y de abandonar en Él, lo que sea que quiera lograr en mi alma."[121]

Dios la habilitó para hacer esto, por lo tanto ella permaneció en un estado de paz. "Mi corazón está lleno de la voluntad de Dios," Explicó ella en alguna ocasión. "Aún si algo más fuera vertido sobre esto, no podría entrar. Yo permaneceré en un estado de paz, la cual nada podrá perturbar."[122]

El Padre Jean llama al abandono, la aplicación práctica y real de una obsesión: la voluntad de Dios.

"Es por eso que ciertas personas en el mundo, hombres de la gente, el campesino en su granja, el

---

120 Clarke, John OCD, *Sta Teresita de Lisieux: Sus Últimas Conversaciones* (Washington DC: *Publicaciones ICS,* 1977) página 107

121 Citado en *La Doctrina Espiritual Completa de Sta. Teresita de Lisieux*

122 Ibídem página 127

trabajador en la fábrica, son santos verdaderos – porque han entendido que la voluntad de Dios lo es todo y están dispuestos a preferirla siempre sobre todo lo demás... De aquí es de dónde les viene a los santos la neutralidad sobrenatural: alegría o dolor, consolación o aridez, luz u oscuridad, alabanza o crítica, dulzura o amargura, salud o enfermedad, vida o muerte...*Fiat voluntas tua,* Thy will be done." [123]

Uno de sus secretos para lograr esta inmensa paz es algo que todos debemos copiar – ella insistía en vivir en el momento presente. ¿Por qué importa esto tanto?

Porque el momento presente es donde está Dios. Él no está en el futuro, o en el pasado, Él está perpetuamente en el presente.

Y donde está Dios, ahí está su gracia.

En otras palabras, si queremos vivir la forma de *les touts-petiti,* la cual es posible solamente con la ayuda de la gracia de Dios, debemos permanecer en el presente donde reside Su ayuda.

En una ocasión, Sta. Teresita enseñó esta lección tan vital a sus novicias quienes vinieron para expresar su preocupación por lo mucho que estaba sufriendo por la tuberculosis que eventualmente le quitaría la vida. No sólo estaban molestas por lo mucho que estaba sufriendo en aquel día en particular, sino que a la vez estaban perturbadas por lo que le faltaba todavía por sufrir.

"...[U]stedes estás muy equivocada por imaginar los dolores que sufriré en el futuro, pues esto es como interferir con la obra de la creación de Dios," les dijo. "Debemos andar por el camino del amor, nunca debemos preocuparnos por nada, si yo no aceptara mi

---

123 *Yo creo en el Amor* página 59

sufrimiento momento a momento, sería imposible para mí tolerarlo pacientemente. Yo veo sólo el momento presente, olvido el pasado y tengo mucho cuidado de no visualizar el futuro. ...Pensar en las cosas dolorosas que pueden pasar en el futuro significa que nos falta la confianza."[124]

¡Lo cierto que es esto! Muchos de los grandes maestros espirituales han emitido la misma advertencia que nos dió Sta. Teresita.

Padre Jacques P. de Caussade llamaba a estos pensamientos de ansiedad una tentación del demonio.

"¿Por qué somos tan hábiles en atormentarnos de antemano con lo que posiblemente nunca va a suceder? ¡Suficiente para un día, son los males del mismo! Los pensamientos de ansiedad nos hacen demasiado daño; ¿Por qué entonces nos entregamos a ellos tan fácilmente? Somos enemigos de nosotros mismos, y enemigos también de la paz en nuestra alma."[125]

De nuevo, esto no significa que nos abstenemos de hacer planes para el futuro. Debemos de llevar a cabo lo que es prudente para nosotros y para nuestras familias. Sin embargo, nunca debemos de permitir que nuestro interior esté agitado y ansioso por el futuro porque, como Sta. Teresita nos explica, esto demuestra que nos falta la confianza en Dios.

Al acercarnos al final de nuestro estudio sobre El Caminito de la Infancia Espiritual, es fiable decir que el abandono, entendido correctamente, simboliza la totalidad de las enseñanzas de nuestra Santa.

---

124 Citado en *Doctrina Completa Espiritual de Sta. Teresita de Lisieux*
125 De Caussade, Jacques P. SJ. *El Abandono en la Divina Providencia* (Rockford, IL: *Libros y Publicaciones, 1959), página 324*

"[El abandono] requiere una gran humildad, ya que es la sumisión de uno mismo a las criaturas y a los eventos que nos rodean, viendo a Jesús en todos y en todo. Esto requiere una fe monumental, y una gran confianza en todo momento, para que así se abra el velo de las causas secundarias, y para penetrar la cubierta en las criaturas que con demasiada frecuencia nos impide ver a Jesús detrás de ellas, quien lo gobierna todo. No hay nada, nada que suceda sin que Él lo haya deseado o permitido.

Mi Diario en El Caminito

1. Piensa en la última vez que algo salió gravemente mal en tu vida. ¿Cuál fue tu primera reacción? ¿Cuando le rezaste a Dios le dijiste cómo querías que arreglara esa situación, o fuiste capaz de decirle "no se haga mi voluntad pero la Tuya"? Si estuvieras realmente viviendo El Caminito, ¿Cómo pudiste haber manejado mejor esta situación?

2. Entregarse a Dios no significa no planear nuestro futuro o no tomar los pasos necesarios para asegurar que nuestra vida sea llevada a cabo en una forma ordenada. Nuestro problema es que tendemos a ir demasiado lejos y pasar tiempo excesivo preocupándonos de esto y lo otro. Escribe algunas preocupaciones que quisieras darle hoy a Dios, y reza para que Él te dé la gracia para hacerlo.

3. Ahora que has completado este curso sobre El Caminito, ¿Qué nota te darías a ti misma, A-F, sobre lo bien que vives los tres elementos principales de El Caminito de la Infancia Espiritual - humildad, confianza y abandono? En oración lleva esta nota a Dios, para pedir que te ayude a discernir la forma en la que puedes poner en práctica el día de hoy, para mejorar en cada una de estas áreas.

4. Escribe una oración personal a Sta. Teresita, pidiéndole que te ayude a vivir El Caminito. Escribe esta oración con tus propias palabras y con el corazón, comienza a rezarla todos los días para que puedas empezar a vivir en serio El Caminito.

Una nota sobre
El Instituto de Vida Católica

El Instituto de Vida Católica, actuando bajo el patronato del Inmaculado Corazón de María y de Nuestra Señora del Carmen, es un apostolado laico dedicado a infundir en el mundo la verdad y el esplendor de la tradición mística Católica según como fue revelada por los santos Carmelitas y los Doctores de la Iglesia.

El Instituto fue fundado por miembros de las Carmelitas Descalzas Seculares pertenecientes a la Sucursal del Inmaculado Corazón de María ubicado en Willow Grove, Pensilvania para introducir a los fieles la espiritualidad y la auténtica contemplación Carmelita. Nuestros programas incluyen cursos en la oración Teresiana, la vida interior, El Caminito de la Infancia Espiritual así como fue enseñada por Sta. Teresita de Lisieux, y la guerra espiritual.

Nuestros programas son presentados por Susan Brinkmann, OCDS, una periodista Católica que ha sido premiada y que actúa como Directora para Las Comunicaciones de la Nueva Era e investigación para las Mujeres de Gracia. Es autora de varios libros y una invitada frecuente en EWTN. Su experiencia reside mayormente en el área de la oración y espiritualidad Carmelita, la Nueva Era, y en las ciencias ocultas.

La Prensa del Instituto de la Vida Católica es nuestra más reciente ampliación y es usada para publicar nuestros libros y otras publicaciones. Además de nuestros propios libros, el Instituto provee también una gran colección de libros Católicos aprobados por la Iglesia a un bajo costo, Nuestros cursos, libros, retiros, y seminarios son fieles al Magisterio y completamente libres de componentes de la Nueva Era.

Para más información favor de visitar: www.catholiclifeinstitute.org.

Made in the USA
Monee, IL
13 July 2020

35538394R00049